W9-DBH-047

fascinant / *fascinating*
MONTE CARLO
PRINCIPAUTÉ DE MONACO

Ce livre et ses lumières vous sont offerts par la

This book and its highlights are offered to you by the

Société Monégasque de l'Électricité et du Gaz

fascinant / *fascinating*

MONTE CARLO

PRINCIPAUTÉ DE MONACO

Conception et photographies **Italo Bazzoli**
Texte **Philippe Erlanger**

Septième édition

épi • BAZZOLI
é d i t i o n s

Généalogie de la Maison Grimaldi
Genealogical Table of the Grimaldi Family

OTTO CANELLA
Consul de Gênes en 1133 — *Genoese Consul in 1133*
Mort avant juin 1143 — *d. before June 1143*

GRIMALDO CANELLA
Consul de Gênes en 1162, 1170 et 1184 — *Genoese Consul in 1162, 1170 and 1184*
donne le nom de Grimaldo à sa descendance — *Gave the name of Grimaldi to his offspring*

OBERTO GRIMALDI
Commissaire de Gênes en 1188 — *Genoese Commissioner in 1188*
épouse Corradine Spinola — *m. Corradine Spinola*
Mort en 1252 — *d. 1252*

GRIMALDO GRIMALDI
Membre du Conseil de Gênes en 1232 et 1244 — *Member of Genoese Council in 1232 and 1244*
Mort après 1257 — *d. 1257*

LANFRANCO GRIMALDI
Mort en 1293 — *d. 1293*

RAINIER 1er
Né vers 1267 — *d. about 1267*
Amiral de France en 1304 — *Admiral of France in 1304*
épouse: 1° Salvatico (?), 2° Andriola Grillo — *m. (1) Salvatico (?), (2) Andriola Grillo*
Mort en 1314 — *d. 1314*

CHARLES 1er
Seigneur de Monaco — *Lord of Monaco*
Mort entre avril et septembre 1357 — *d. between April and September 1357*

RAINIER II
1350 - 1407
épouse: 1° Illaria del Caretto, 2° Isabelle Asinari — *m. (1) Illaria del Caretto, (2) Isabelle Asinari*

AMBROISE
Coseigneur de Monaco de 1419 à 1427 — *Co-Lord of Monaco from 1419 to 1427*

ANTOINE
Coseigneur de Monaco de 1419 à 1427 — *Co-Lord of Monaco from 1419 to 1427*

JEAN 1er
1382 - 1454
Coseigneur de Monaco — *Co-Lord of Monaco*
épouse Pomeline Frégose — *m. Pomeline Fregose*

CATALAN
épouse Blanche del Caretto — *m. Blanche del Caretto*
Mort en juillet 1457 — *d. July 1457*

CLAUDINE
1451 - 1515
Dame de Monaco de 1457 à 1458 — *Lady of Monaco from 1457 to 1458*
épouse en 1465 son cousin Lambert Grimaldi 1420 - 1494 — *m. hes cousin Lambert Grimaldi in 1465, 1420 - 1494*

JEAN II
Seigneur de Monaco en 1494 — *Lord of Monaco in 1494*
épouse en 1487 Antoinette, fille naturelle de Philippe, duc de Savoie — *m. 1487 Antoinette, illegitimate daughter of Philippe, Duke of Savoy*
Mort en 1505 — *d. 1505.*

LUCIEN
Seigneur de Monaco en 1505 — *Lord of Monaco in 1505*
épouse en 1514 Jeanne de Pontevès — *m. 1514 Jeanne de Pontevès*
Mort en 1523 — *d. 1523*

AUGUSTIN
Évêque de Grasse — *Bishop of Grasse*
Seigneur de Monaco en 1523 — *Lord of Monaco in 1523*
Mort en 1532 — *d. 1532*

HONORÉ 1er
1522 - 1581
Seigneur de Monaco — *Lord of Monaco*
épouse en 1545 Isabelle Grimaldi — *m. 1545 Isabelle Grimaldi*

CHARLES II
1555 - 1589
Seigneur de Monaco en 1581 — *Lord of Monaco in 1581*

HERCULE 1er
1562 - 1604
épouse en 1595 Marie Landi de Valdetare — *m. 1595 Marie Landi de Valdetare*

HONORÉ II
1597 - 1662
Prend, en 1612, le titre de Prince de Monaco — *Assumed title of Prince of Monaco 1612*
épouse en 1616 Hippolyte Trivulce — *m. 1616 Hippolyte Trivulce*

HERCULE
1623 - 1651
épouse en 1641 Aurélia Spinola — *m. 1641 Aurelia Spinola*

LOUIS 1er
1642 - 1701
épouse en 1660 Marie-Charlotte Catherine de Gramont — *m. 1660 Marie-Charlotte Catherine de Gramont*

ANTOINE 1er
1661 - 1731
épouse en 1688 Marie de Lorraine — *m. 1688 Marie de Lorraine*

LOUISE-HIPPOLYTE
1697 - 1731
épouse en 1715 Jacques-François-Léonor Goyon de Matignon — *m. 1715 Jacques-François-Léonor Goyon de Matignon*
Prince de Monaco du 29 décembre 1731 au 8 novembre 1733 — *Prince of Monaco from 29 December 1731 to 8 November 1733*

HONORÉ III
1720 - 1795
épouse en 1757 Marie-Catherine de Brignole-Sale — *m. 1757 Marie-Catherine de Brignole-Sale*

HONORÉ IV
1758 - 1819
épouse en 1777 Louise-Félicité-Victoire d'Aumont, duchesse de Mazarin — *m. 1777 Louise-Félicité-Victoire d'Aumont, Duchess of Mazarin*

HONORÉ V
1778 - 1841

FLORESTAN 1er
1785 - 1856
épouse en 1816 Caroline Gibert de Lametz — *m. 1816 Caroline Gibert de Lametz*

CHARLES III
1818 - 1889
épouse en 1846 Antoinette-Ghislaine de Mérode — *m. 1846 Antoinette-Ghislaine de Mérode*

ALBERT 1er
1848 - 1922
épouse: 1° en 1869 Marie-Victoire de Douglas Hamilton — *m. (1) 1869 Marie-Victoire de Douglas Hamilton*
2° en 1889 Marie-Alice Heine, duchesse de Richelieu — *m. (2) 1889 Marie-Alice Heine, Duchess of Richelieu*

LOUIS II
1870 - 1949
épouse en 1946 Ghislaine Marie Dommanget — *m. 1946 Ghislaine Marie Dommanget*

CHARLOTTE
1898 - 1977
épouse le 19 mars 1920 Pierre-Marie-Xavier-Raphaël, comte de Polignac devenu Grimaldi le 18 mars 1920 décédé en 1964 — *m. 19 March 1920 Pierre-Marie-Xavier-Raphael, Count of Polignac became Grimaldi on 18 March 1920. d. 1964*

ANTOINETTE
née le 28 décembre 1920 — *b. 28 December 1920*

RAINIER III
né à Monaco le 31 mai 1923 — *b. 31 May 1923 at Monaco*
épouse le 18 avril 1956 Grace-Patricia Kelly — *m. 18 April 1956 Grace-Patricia Kelly*

ALBERT
Alexandre-Louis-Pierre
Prince Héréditaire — *Hereditary Prince,*
Marquis des Baux — *Marquis of Baux*
né à Monaco le 14 mars 1958 — *b. 14 March 1958 at Monaco*

CAROLINE
Louise-Marguerite
née à Monaco le 23 janvier 1957 — *b. 23 January 1957 at Monaco*

STÉPHANIE
Marie-Élisabeth
née à Monaco le 1er Février 1965 — *b. 1 February 1965 at Monaco*

LL.AA.SS. Le Prince Rainier III de Monaco et Le Prince Héréditaire Albert

Photo R. Melloul-Sygma

D'Hercule à Napoléon III

Les brumes de la légende ont flotté comme il se doit autour du puissant relief rocheux qui rendait le littoral impraticable entre les Gaules et l'Italie. Selon Apollodore, Hercule, revenant d'Espagne où il avait tué Géryon, y aurait abordé et détruit le tyran qui terrorisait la contrée. Il était seul. C'est pourquoi le temple, effectivement élevé en son honneur (mais on ne saurait le situer exactement), fut dédié à Hercule Monoïkos. Strabon en déduisait que les Grecs de Phocée (Marseille) s'étaient avancés jusque-là. Les précisions manquent comme elles manquent sur les Phéniciens qui durent débarquer aux environs, sinon y fonder une colonie quand ils dominaient cette partie de la Méditerranée. On a supposé une confusion entre Hercule et leur dieu, Melkart.

Quoi qu'il en soit, les habitants de la région étaient des Ligures. Hécatée de Milet appelle Monoïkos la tribu locale qui disposait d'un village fortifié et d'un petit port. Ces Ligures étaient des guerriers farouches, ils combattirent les Romains. Bien que César se fût servi de leur port, c'est seulement Auguste qui les soumit définitivement en 14 av. J.-C. Monaco fit dès lors partie de la province des Alpes Maritimes administrativement rattachée à la Gaule.

Le Rocher connut donc la Paix Romaine, puis le déferlement des invasions barbares. Le système féodal le rattacha au comté de Vintimille jusqu'à ce que les empereurs Frédéric Barberousse et Henri VI aient donné la côte aux Génois. Ceux-ci élevèrent à Monaco une redoutable forteresse.

Vint le temps de la lutte féroce entre Guelfes et Gibelins. A la fin du XIIIe siècle les Gibelins l'emportèrent à Gênes, ce qui chassa de la ville deux seigneurs éminents, François et Rainier Grimaldi, issus d'une famille de consuls et d'ambassadeurs.

La forteresse de Monaco était tenue par les Gibelins. Le soir du 8 janvier 1297, les hommes de garde virent arriver un franciscain qui demandait l'hospitalité. On l'accueillit sans prendre garde au détail insolite qu'il était chaussé. Sitôt entré, le faux religieux sortit une épée, tua quelques garnisaires, ouvrit la porte à des soldats tapis à l'entour et s'empara de la place.

François Grimaldi, car c'était lui, fut surnommé "la Malice" et deux franciscains chaussés, tenant chacun une épée nue, ornèrent désormais le blason des siens. Son exploit donna à son parent Rainier les moyens de faire une guerre maritime aux Génois. Rainier, plus tard Rainier Ier, devait être l'ancêtre de la Maison princière. Il reçut une pension de Philippe le Bel et finit amiral de France.

Suivit une longue période de confusion pendant laquelle les Grimaldi se virent enlever Monaco et le reconquérirent. Charles Ier fut reconnu en 1342 seigneur de la ville. Allié de la France, il fournissait des soldats à son armée.

Monaco comptant à peine mille habitants, ses maîtres ne pouvaient s'élever à la puissance des Este, des Gonzague ou des Visconti. Ils furent ballottés dans les guerres des cités italiennes et dans leurs propres dissensions. Une habileté remarquable leur permit toujours de récupérer leur bien après l'avoir perdu. Leur chance était la position militaire grâce à laquelle ils parvenaient à évoluer entre les ambitions rivales.

Lambert Grimaldi s'assura une indépendance que sanctionna le serment de la population et que garantit en 1482 un traité avec la France. Louis XI plaçait la "seigneurie" sous sa sauvegarde, libérant enfin Monaco de l'emprise génoise. Louis XII, à l'issue de diverses péripéties, confirma que Lucien Grimaldi tenait sa terre "de Dieu et de l'épée".

From Hercules to Napoleon III

The mists of legend have drifted, as indeed they should, around the powerful rock formation which bars the coastline between Gaul and Italy. According to Apollodorus, Hercules, returning from Spain where he had killed Geryon, landed there and destroyed a tyrant who terrorised this countryside. He was alone. That is why a temple, which was actually built in his honour (although its exact location is not known), was dedicated to Hercules Monoecus.

From this, Strabo concluded that the Greeks from Phocaea (Marseilles) had advanced as far as there. Details are lacking, as they are concerning the Phoenicians who must have landed in the neighbourhood, even if they did not found a colony here when they were dominating this part of the Mediterranean. Confusion between Hercules and their god, Melkart, has been presumed.

However that may be, the inhabitants of the region were Ligurians. Hecate of Miletus called Monoecus the local tribe which possessed a fortified village and a small harbour. They were fierce warriors who fought against the Romans. Although Caesar used their harbour, they were not finally subdued until 14 B.C., by Augustus. Thenceforward, Monaco be-came part of the Maritime Alps province under the administration of Gaul.

The Rock, therefore, experienced the Pax Romana followed by the onslaught of the barbarian invaders. Under the feudal system it was subordinated to the Count of Ventimiglia, until the Emperors Frederick Barberossa and Henry VI gave the coast to the Genoese, who raised a formidable fortress at Monaco.

Next came the period of fierce combat between the Guelphs and Ghibellines. At the end of the thirteenth century the Ghibellines won the day at Genoa and cast out of the city two eminent lords, François and Rainier Grimaldi, descended from a family of consuls and ambassadors.

The fortress of Monaco was held by the Ghibellines. On the evening of 8th January, 1297, the guard was approached by a Franciscan monk who asked for shelter. He was welcomed, and nobody noticed the unusual fact that he was wearing boots. As soon as he was inside, the impostor drew his sword, killed a few members of the garrison, opened the gate to the soldiers who waited nearby, and siezed the castle.

The false monk was none other than François Grimaldi, nicknamed "the clever". Since then, his family coat of arms has consisted of two booted Franciscan monks each holding a naked sword. His exploit pro-vided his kinsman Rainier with the means of waging a sea war against the Genoese. Rainier, who later became Rainier I, was to be the founder of the princely house. He received a pension from Philippe le Bel and finished up as an Admiral of France.

There followed a long and confused period during which the Grimaldis lost Monaco and reconquered it. Charles I was recognised as Lord of the City in 1342. He was allied to France and provided soldiers for her army.

Since the population of Monaco was barely a thousand, its masters could not rise against the power of the Estes, the Gonzagues and the Viscontis. They were buffeted in the wars between Italian cities and in their own domestic feuds. But they had the remarkable ability to recover what they had lost. Their trump card was their military position, thanks to which they succeeded in steering a path between rival ambitions.

Lambert Grimaldi ensured their independence, which was ratified by an oath of the population and guaranteed in 1482 by a treaty with France. Louis XI placed the seigneury under his tutelage and finally freed Monaco from the Genoese. Louis XII, after many vicissitudes, confirmed that Lucien Grimaldi held his land "from God and by the sword".

In 1524, there was a change of fortune. The Treaty of Burgos and the Edict of Tordesillas placed Monaco under the domination of Charles V. This Spanish protectorate was to last one hundred and sixteen years. During the

En 1524, changement de cap. Le traité de Burgos et l'édit de Tordesillas mirent Monaco sous la dépendance de Charles-Quint. Le protectorat espagnol allait durer cent seize ans. Pendant les interminables conflits entre la France et la Maison d'Autriche le Rocher eut une importance stratégique considérable. C'est pourquoi il excita aussi la convoitise des Turcs contre lesquels il dut se défendre. En 1605 les Espagnols y installèrent une garnison au grand déplaisir de la population. A titre de compensation, le roi d'Espagne reconnut à Honoré II le titre de "Seigneur de Monaco, Menton et Roquebrune, Marquis de Campagna, Prince et Seigneur". En 1612 il lui accorda la dignité de Prince Sérénissime.

Cela n'empêcha pas Honoré II de se tourner contre lui quand la guerre se fut rallumée. Le 14 septembre 1641 était signé secrètement le traité de Péronne aux termes duquel Louis XIII s'engageait à maintenir "la liberté et la souveraineté du pays ainsi que tous ses privilèges et droits sur mer et sur terre". Le 17 novembre Honoré II donnait l'assaut à la garnison espagnole, qui, surprise, capitulait après avoir perdu huit hommes.

Il faut admirer l'intuition politique des Grimaldi. En 1641 comme en 1524 ils devinèrent lequel des deux puissants antagonistes allait l'emporter sur l'autre et cela juste avant Pavie, juste avant Rocroi, quand la fortune des armes n'avait pas encore fait pencher la balance.

En compensation de quelques fiefs italiens confisqués par l'Espagne, Louis XIII donna à Honoré le duché-pairie de Valentinois qui avait été celui de Diane de Poitiers, le marquisat des Baux et le comté de Carladez. Il lui envoya aussi une garnison de cinq cents hommes, étant entendu qu'elle ne se mêlerait d'aucune affaire intérieure de la Principauté.

On ne demandait même pas à cette dernière de se ranger aux côtés du nouvel allié, mais seulement de tenir le port à la disposition de ses galères. Oubliant l'influence italienne, Monaco devint dès lors un miroir de la France. Honoré spécifia en son testament que ses successeurs ne devraient jamais abandonner la protection du Roi Très Chrétien. A l'instar de ses aïeux du XVIe siècle qui avaient été des princes de la Renaissance, il aimait les arts et possédait une vaste culture. Les trois séjours à la Cour d'Anne d'Autriche achevèrent de le placer sous l'influence intellectuelle de Paris. Monaco connut un "grand siècle" au moment où le jeune Louis XIV inaugurait le sien. L'harmonie dans la civilisation devint parfaite.

Le Prince concentra tous les pouvoirs, ce qui l'amena à former une administration efficace dirigée par un secrétaire d'État. Monaco était devenu comme la France une monarchie absolue.

Honoré II transforma son château en un palais dont les Italiens d'abord, les Français ensuite, assurèrent la décoration. Il y donna de grandes fêtes, y accueillit écrivains et artistes.

Lorsqu'il mourut en 1662 il laissait une somptueuse collection de tapisseries, d'argenterie, de meubles et une galerie de sept cents tableaux parmi lesquels se trouvaient des œuvres de Raphaël, de Durer, du Titien, de Michel-Ange et de Rubens. On a écrit que son règne permit à la dynastie d'atteindre un "sommet au-delà duquel il fut difficile de s'élever".

Son fils et successeur, Louis Ier, parut au moins aussi attaché à sa qualité de pair de France qu'à sa dignité souveraine. Il passa une grande partie de son temps à la Cour ou aux armées de Louis XIV qui le nomma "mestre de camp" du Monaco-Cavalerie.

Il obtint du roi l'autorisation d'étendre les eaux territoriales de la Principauté à une distance inusitée, pour le plus grand profit des finances monégasques et tout en maintenant curieusement la neutralité de ses États, il guerroya au service de la France et publia le "Code Louis" qui renforça son pouvoir.

(suite page 16)

interminable conflicts between France and the House of Austria, the Rock was of considerable strategic importance. It therefore also aroused the envy of the Turks, against whom it had to defend itself. In 1605 the Spanish installed a garrison there, much against the will of the population. In compensation, the King of Spain recognised Honoré II as "Lord of Monaco, Menton and Roquebrune, Marquis of Campagna, Prince and Lord". In 1612 he conferred on him the title of "Most Serene Highness".

This did not prevent Honoré II from turning against him when the war started up again. On 14th September 1641, the Treaty of Péronne, in which Louis XIII undertook to maintain "the liberty and sovereignty of the country and all its privileges and rights on sea and on land" was signed secretly. On 17th November, Honoré II launched an attack on the Spanish Garrison which, overcome by surprise, capitulated with the loss of eight men.

The political intuition of the Grimaldis was astonishing. In 1641, as in 1524, they guessed correctly which of two powerful antagonists was going to win the day - just before Pavia and just before Rocroi - when the fortune of arms had not yet weighed in the balance.

In compensation for a few Italien fiefs confiscated by Spain, Louis XIII gave to Honoré II the Duchy of Valentinois (which had been that of Diana of Poitiers), the Marquisate of Baux and the Earldom of Carladez. He also sent him a garrison of five hundred men on the understanding that it would not be used in any internal disputes of the Principality. The latter was not even asked to take sides with the new ally but merely to make the harbour available to its shipping. Forgetting its Italian influence, Monaco thenceforth became a reflection of France. Honoré II laid down in his will that his successor should never abandon the protection of his most Christian Majesty. Like his sixteenth century ancestors, who had been princes of the Renaissance, he loved the arts and was extremely cultured. Three periods spent at the court of Anne of Austria completed the process of placing him under the intellectual influence of Paris. Monaco too had its "grand siècle" at the time when the young Louis XIV was entering his own - an example of perfect harmony between civilizations. The Prince concentrated all powers in his own hands and thus formed an efficient govemement directed by a State Secretary. Monaco, like France. had become an absolute monarchy.

Honoré II transformed his castle into a Palace, which was decorated first by the Italians and then by the French. He gave vast receptions there and welcomed both writers and artists.

When he died in 1662 he left a sumptuous collection of tapestries, silver ware, furniture, and a gallery of seven hundred paintings, including works by Raphaël, Durer, Titian, Michaelangelo and Rubens. It has been written that his reign enabled the dynasty to attain a "summit which it would be difficult to surpass".

His son and successor Louis I appeared to be at least as much attached to his standing as a peer of France as to his sovereign position. He passed a good part of his time at Court or in the armies of Louis XIV, who named him "mestre du camp" (colonel) of the Monaco Cavalry.

He obtained from the King the authorisation to extend the territorial waters of the Principality to an unheard of distance, all to the greater profit of Monegasque finances and, while maintaining the neutrality of his State, waged war in the service of France and published the Code Louis, which reinforced his position.

In 1701 he died in Rome, where he had gone as French Ambassador and had dazzled the eternal city by his pomp and by his retinue of three hundred coaches.

Antoine I, who was nicknamed Goliath on account of his imposing height, had passed forty years of his life at Versailles, for which he pined for the rest of his life. He was a great music lover, and kept an orchestra and an opera company. He died in 1731.

(continued page 16)

Depuis le XIIIe siècle de notre ère le Palais des Grimaldi domine le Rocher abrupt dont l'importance stratégique permit à l'une des plus anciennes dynasties du monde d'asseoir son indépendance politique et de fonder, au fil des siècles, l'Etat moderne et la cité de rêve qu'est devenue la Principauté de Monaco...

Since the thirteenth century, the Palace of the Grimaldis has dominated the steep rock whose strategic importance enabled one of the world's oldest dynasties to establish its political independence and in the course of the centuries to found the modern State which the Principality of Monaco has now become.

En 1701 il mourut à Rome où il s'était rendu en qualité d'Ambassadeur de France, non sans avoir ébloui la Ville Éternelle par son faste et par les trois cents carrosses de son cortège.

Antoine 1er, qu'on surnommait Goliath à cause de son imposante stature, avait passé quarante ans de sa vie à Versailles. Il devait toujours en garder la nostalgie.

Antoine 1er était un grand mélomane: il entretenait un orchestre et une troupe lyrique. Il s'éteignit en 1731.

De son mariage avec Marie de Lorraine devaient naître deux filles, dont l'aînée Louise-Hippolyte succéda à son père; son mari, le Comte Jacques de Goyon Matignon, prit le nom et les armes des Grimaldi et le Duché de Valentinois lui fut accordé par Louis XIV.

Le règne de Louise-Hippolyte devait être très bref puisqu'elle mourut onze mois après son avènement. Son mari, qui avait pris le nom de Jacques 1er, abdiqua en 1733 en faveur de leur fils Honoré III. Honoré III partagea sa vie entre sa Principauté et Paris où il mena la vie des grands seigneurs du XVIIIe.

La Révolution française provoqua naturellement des remous à Monaco, mais, contrairement au courant général, les défenseurs de l'autorité du Prince l'emportèrent d'abord sur les émules des Jacobins. Honoré III jouissait encore d'un pouvoir absolu quand s'effondra le trône de Louis XVI. Tout changea après la création forcée d'un club des Amis de l'Égalité qui demanda l'annexion à la France.

Une convention élue par les trois Communes de Monaco, Menton et Roquebrune prononça la déchéance des Grimaldi et la confiscation de leurs biens le 19 janvier 1793. Le 14 février, elle vota l'annexion. Monaco allait être français pendant vingt et un ans. Son nom même fut changé en celui de Fort Hercule.

Il constitua d'abord un canton, puis un chef-lieu d'arrondissement qui fut ensuite transféré à San Rémo.

Toutes les richesses du Palais furent dispersées, les tableaux, les objets d'art vendus aux enchères. Le Palais, après avoir servi à loger les soldats et les officiers de passage, fut transformé en hôpital puis en dépôt de mendicité.

Pendant toute la durée de la Révolution, les membres de la Famille Princière connurent de durs moments: emprisonnés d'abord, puis libérés, ils se trouvèrent aux prises avec toutes sortes de difficultés et obligés de vendre presque tous leurs biens.

Pendant ce temps, un de ses fils, Joseph, ayant émigré, Honoré III était jeté en prison. La Société de Torigny en Normandie où il avait un château intervint en sa faveur et obtint sa libération. Sa belle-fille, née Thérèse-Françoise de Choiseul, eut moins de chance. Elle fut guillotinée le 9 Thermidor, tandis que Robespierre tombait à la Convention. Elle aurait été sauvée si elle avait accepté de se reconnaître enceinte bien qu'elle fût séparée de son mari.

Honoré IV, fils aîné d'Honoré III, de santé fragile, vécut à la campagne pendant tout l'Empire. Il avait lui-même deux fils. Le cadet, Florestan, s'engagea au service de Napoléon et fut fait prisonnier pendant la campagne de Russie.

L'aîné, Honoré V, se rallia avec plus d'éclat au nouveau régime. Il reçut la Légion d'honneur, fut nommé écuyer de l'Impératrice Joséphine et baron d'Empire. Cette position lui permit d'acquérir la précieuse amitié de Talleyrand, dont l'intervention l'aida lors de la discussion des traités de Vienne à obtenir la restitution de ses États.

Les traités signés après Waterloo lui imposèrent malgré sa résistance un protectorat et une garnison sardes. Pour affirmer l'indépendance de son État, Honoré créa le Corps des Carabiniers. Pour rétablir une fois encore ses finances il institua un système fiscal très lourd, tout en s'efforçant de développer le commerce des agrumes et certaines formes de petites industries. Mais ces initiatives inspirées plus

(suite page 26)

By his marriage with Marie of Lorraine, he had two daughters, the eldest of whom, Louise-Hippolyte, succeeded her father; her husband, Count Jacques de Goyon Matignon, assumed the name and arms of the Grimaldis and the Duchy of Valentinois was betowed on him by Louis XIV.

The reign of Louise-Hippolyte was doomed to be a short one, since she died eleven months after her succession. Her husband, who had assumed the title of Jacques I, abdicated in 1733 in favour of their son Honoré III. Honoré III shared his time between the Principality and Paris, where he led the life of the grands seigneurs of the eighteenth century.

The French Revolution naturally had repercussions in Monaco but, swimming against the general current of events, the protagonists of princely authority won the day in the first instance over the emulators of the Jacobins. Honoré III was still enjoying absolute power when the throne of Louis XVI collapsed. But everything changed after the contrived formation of a club of the "Friends of Equality", which demanded annexation to France.

A convention elected by the three Communes of Monaco, Menton and Roquebrune dispossessed the Grimaldis and confiscated their property on 19th January 1793. Annexation to France was voted on 14th February. Monaco was to remain French for twenty-one years. Even its name was changed to Fort Hercules.

It first constituted a Canton, then a chief town of Arrondissement, and was later transferred to San Remo.

All the wealth of the Palace was dispersed; pictures and objets d'art were sold by auction. The Palace, first used to house soldiers and officers in transit, was then transformed into a hospital and later into a poorhouse.

Throughout the Revolution, members of the Princely family suffered many trials and tribulations: they were first imprisoned, then freed, and found themselves in all sorts of difficulties, being obliged to sell nearly all their goods.

During this period, Honoré III was thrown into prison because one of his sons, Joseph, had emigrated. The Société de Torigny in Normandy, where he had a castle, intervened in his favour and secured his liberation. His daughter-in-law, born Thérèse-Françoise de Choiseul, was less fortunate. She was guillotined on 9 Thermidor, just as Robespierre was defeated in the Convention. She could have saved her life if she had agreed to recognise that she was pregnant, although separated from her husband.

Honoré IV, the eldest son of Honoré III, was delicate and lived in the country throughout the Empire Period. He himself had two sons. The second, Florestan, volunteered to serve with Napoleon and was taken prisoner during the Russian campaign.

The elder, Honoré V, rallied to the new régime with more distinction. He was awarded the Legion of Honour, appointed equerry to the Empress Josephine and made a Baron of the Empire. This position enabled him to acquire the valuable friendship of Talleyrand, who assisted him during the Vienna Congress in securing the restitution of his position.

The treaties signed after Waterloo imposed on him a Sardinian protectorate and garrison in spite of his resistance. In order to affirm the independence of his Principality, Honoré created the Corps of Carabiniers. To put his finances into order, he instituted a very severe system of taxation, while attempting to develop trade in citrus fruits and certain minor industries. Unfortunately, these schemes, which were inspired rather by the liberal ideas of the time than by economic reality, did not succeed, which resulted in discontent, particularly at Menton and Roquebrune, the effects of which could be judged in 1848.

When he died in 1841, he was succeeded by his brother Florestan, who was married to Caroline Gibert. She came from a bourgeois family and had the qualities of a managing woman perfectly capable of administering a country. One day she wrote to her son: "First of all, about the capabilities you attribute to me, all I will say is that they are due to the discipline which I impose upon myself in conscientiously doing my duty. In spite of my sex, I have become the head of a family. I had to fulfil my obligations and ask for

(continued page 26)

18

MONTE CARLO
BEACH

Les plages du Larvotto, gagnées artificiellement sur la mer, permettent toutes les variations sur le thème de l'indolence.

All the variations are on the theme of relaxation and enjoyment are possible on the beaches of Larvotto, reclaimed by man from the sea.

Dans l'air tiède et léger, une mouette, suspendue, vole et se fixe au hasard de l'objectif.

Les visages sourient et les bateaux du port tirent, à l'appel du large, sur leurs amarres impassibles.

In the warm, light air a gull in flight is immobilized by the camera's lens.

In the harbour, the ships pull on their impassive moorings.

YAMAHA

par les idées généreuses de l'époque que par les réalités économiques ne devaient hélas pas aboutir, ce qui suscita surtout à Menton et Roquebrune un mécontentement dont les effets se mesurent en 1848.

Lorsqu'il mourut en 1841, son frère Florestan lui succéda.

Il était marié à Caroline Gibert. Issue de la bourgeoisie, elle possédait les qualités d'une maîtresse femme et se montra parfaitement capable d'administrer un État. Elle devait écrire un jour à son fils: "Pour commencer par la capacité que tu m'accordes, je te dirai qu'elle ne consiste chez moi que dans la rigidité que je mets à remplir consciencieusement les devoirs que je me suis imposés... Devenue malgré mon sexe chef de famille, j'ai eu à en remplir les obligations et à me faire pardonner mon élévation... N'ayant aucun droit par moi-même, je me trouve cachée sous le manteau de ton père qui conserve ainsi la plénitude de ses droits". Elle gouverna.

Caroline allégea à peine l'oppression fiscale, si bien qu'en 1847 Menton et Roquebrune arborèrent les couleurs du roi de Sardaigne: celui-ci venait d'accorder une constitution à ses sujets. Florestan se résigna à faire de même, mais ses demi-mesures n'empêchèrent pas en 1848 la révolte ouverte des deux villes qui se déclarèrent libres.

C'était l'année des grands bouleversements européens. Le Roi Charles-Albert de Sardaigne voulait réaliser autour de lui l'unité italienne. Par un plébiscite Menton et Roquebrune se rattachèrent à ses États. Ce projet ne put cependant être réalisé à cause de l'abdication de Charles-Albert après ses défaites devant l'Autriche.

Le conflit ne s'apaisa pas pour autant. Il durait toujours lorsqu'en 1856 Charles III succéda le à Florestan en respectant l'autorité de sa mère.
A ce moment le premier ministre sarde, le grand Cavour, cherchait l'alliance de Napoléon III contre l'Autriche. L'ayant obtenue, il accepta d'abandonner le protectorat de Monaco et de laisser Nice et la Savoie procéder à des plébiscites qui décideraient de leur rattachement à la France.

Contre le gré des intéressés, il prévit la même procédure pour Menton et Roquebrune. Ces villes, au contraire de Nice, ne votèrent pas leur annexion sans réserves. Charles III protesta vigoureusement auprès de l'Empereur, il obtint une indemnité de quatre millions et la promesse que la France ouvrirait une voie carrossable de Nice à Monaco le long du littoral.

L'accord était apparemment désastreux car la Principauté devait faire avec Menton son deuil des citrons, des oranges et des agrumes qui assuraient son équilibre économique. Mais les deux concessions accordées par Napoléon III portaient en germe sa prospérité future.

Le destin de Monaco ne s'en était pas moins profondément modifié. La perte de Menton marquait la fin des ambitions territoriales des Grimaldi, la fin aussi du rôle qu'ils pouvaient jouer dans la politique internationale (1).

"Réduite au seizième de sa surface, au septième de sa population, la Principauté faisait en 1861 figure d'une bourgade de 1.200 habitants, à l'aspect médiéval et délabré, presque isolée du voisinage. Au pied du Rocher, à La Condamine, quelques vergers et cultures de violettes; sur le plateau des Spélugues rien, sinon quelques oliviers, des garrigues et des cailloux (2)".

Qui se serait douté que cette terre misérable était sur le point de connaître une métamorphose digne des Mille et une Nuits ?

(suite page 50)

(1) Cf. carte de la Principauté de Monaco antérieurement à 1861.
(2) J.R. Robert: Histoire de Monaco.

forgiveness for rising to power. Having no rights of my own, I was hidden under the mantle of your father, who thus retained all his rights". She governed.

Caroline did little to lighten the burden of taxation, with the result that, in 1847, Menton and Roquebrune hoisted the colours of the King of Sardinia: the latter had just granted a constitution to his subjects. Florestan resigned himself to doing the same, but these half measures did not prevent the open revolt of the two towns, which declared themselves independent in 1848.

This was the year of the great European upheavals. King Charles-Albert of Sardinia wanted to unite Italy around himself. Menton and Roquebrune voted by plebiscite for incorporation into his State. However, the project was not implemented on account of the abdication of Charles-Albert after his defeat by Austria.

This did not, however, diminish the conflict. It went on until, in 1856, Charles III succeeded Florestan, while still respecting his mother's authority. At that time, the Prime Minister of Sardinia, the great Cavour, was seeking an alliance with Napoleon III against Austria. Having obtained it, he agreed to forego the Monaco protectorate and to allow Nice and Savoy to carry out plebiscites, as a result of which they decided on incorporation into France.

Against the will of those concerned, he made provision for the same procedure for Menton and Roquebrune. These towns, unlike Nice, only voted for annexation with reservations. Charles III protested vigorously to the Emperor. He obtained an indemnity of four millions and a promise that France would open up a road suitable for traffic along the coast between Nice and Monaco.

The agreement, apparently, was disastrous, for the Principality had to forego the lemons, oranges and other citrus fruits from Menton which ensured its economic balance. But the two concessions granted by Napoleon III bore in themselves the seed of its future prosperity.

This did not alter the fact that Monaco's destiny was profoundly modified. The loss of Menton marked the end of the territorial ambitions of the Grimaldis, and also the end of any part they might play in international politics.(1).

"Reduced to one sixteenth of its area, and one seventh of its population, the Principality in 1861 resembled a township of mediaeval, run-down aspect, almost isolated from its neighbours and with a population of only 1,200. At the foot of the cliffs, at La Condamine, were a few orchards and violet beds; on the Spélugues plateau was nothing but a few trees, garrigues and pebbles" (2).

Who would suspect that his wretched land was on the point of undergoing a metamorphosis worthy of the Arabian Nights ?

(continued page 50)

(1) Cf. map of Principality of Monaco prior to 1861.
(2) J.R. Robert: Histoire de Monaco.

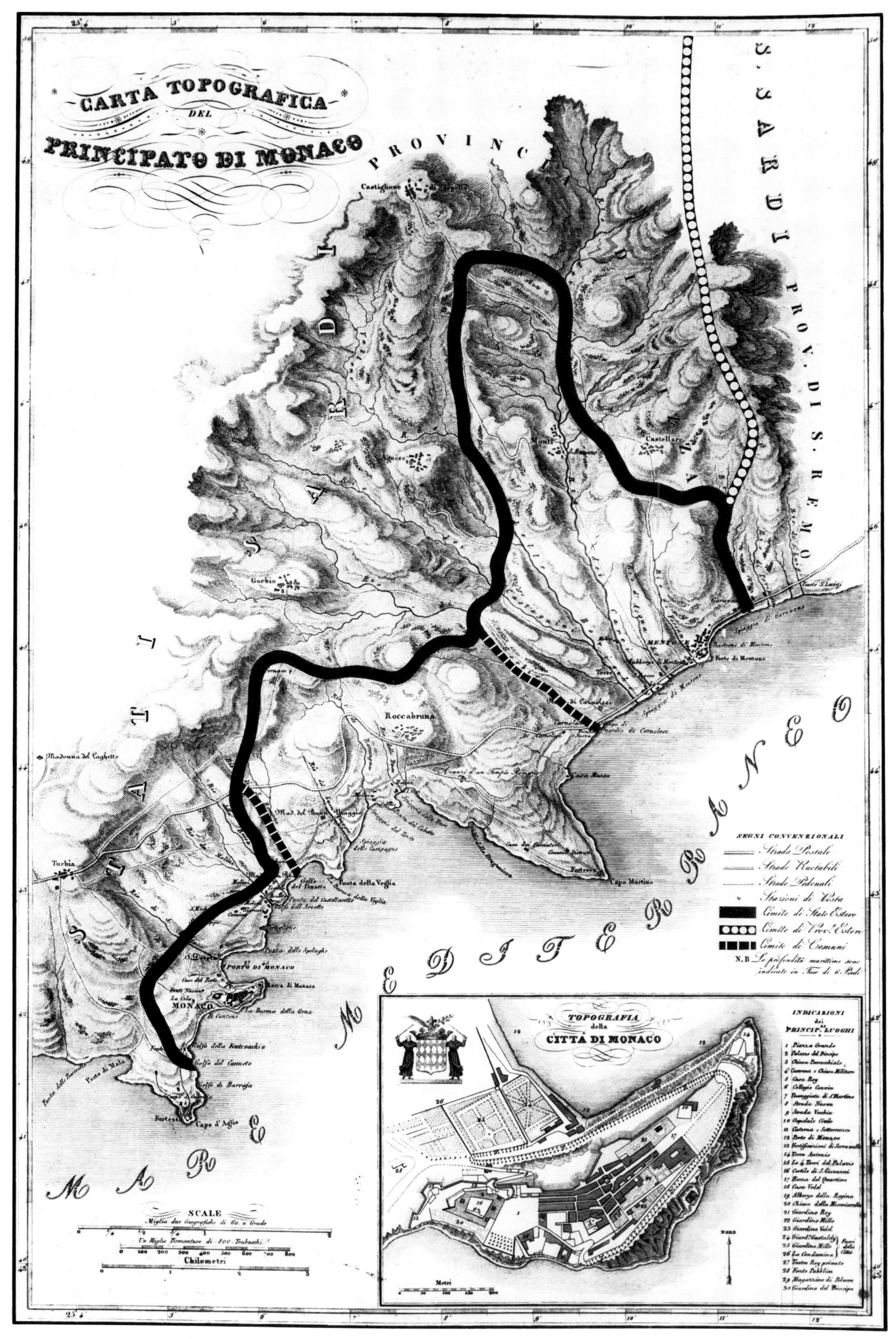

Carte de la Principauté de Monaco antérieurement à 1861

Map of Principality of Monaco prior to 1861

Monaco c'est, par l'exiguïté de son territoire, d'orgueilleux buildings dressés sur le littoral, mais c'est aussi le respect de la nature sous la forme de jardins luxuriants. La présence du monde végétal, le besoin de son équilibre vivifiant sont devenus un des aspects majeurs de l'urbanisme contemporain.

Because of its small size, Monaco consists mostly of buildings lining the sea front, but nature is present in the form of lush gardens. This need for the invigorating effect of plant life has become one of the major aspects of contemporary urban planning.

...Cependant que sur le Rocher, au pied du Palais quasi millénaire, s'étend l'antique cité, capitale administrative où la vie, d'une étonnante diversité, s'écoule lentement dans les souvenirs d'un passé qui n'a rien perdu de ses couleurs.

On the Rock, at the foot of the centuries-old Palace, lies the ancient city, the administrative capital where life of an extraordinary diversity is lived slowly amid reminders of a past that has lost nothing of its colourful attraction.

HIVER

TABAC

En symbiose avec le rocher qu'il domine, le Palais de Monaco fut édifié par les Gênois, en 1215, puis ceinturé de remparts jadis inexpugnables.

Il est, depuis lors, le centre et le cœur de la vie monégasque, étroitement, sentimentalement rythmée sur celle de la Famille Souveraine.

Ainsi la Fête du Prince est-elle jour de Fête Nationale au cérémonial immuable qu'accompagne toujours le contrepoint de joies populaires spontanées.

Symbiotic with the rock which it dominates, the Palace of Monaco was built by the Genoese in 1215 and later surrounded with impregnable ramparts. Ever since, it has been the center and heart of Monegasque life which is closely and sentimentally linked to that of the ruling family.

The Prince's Fête day is the national holiday, featuring the unchanging ceremonies which are the counterpoint to spontaneous popular celebrations.

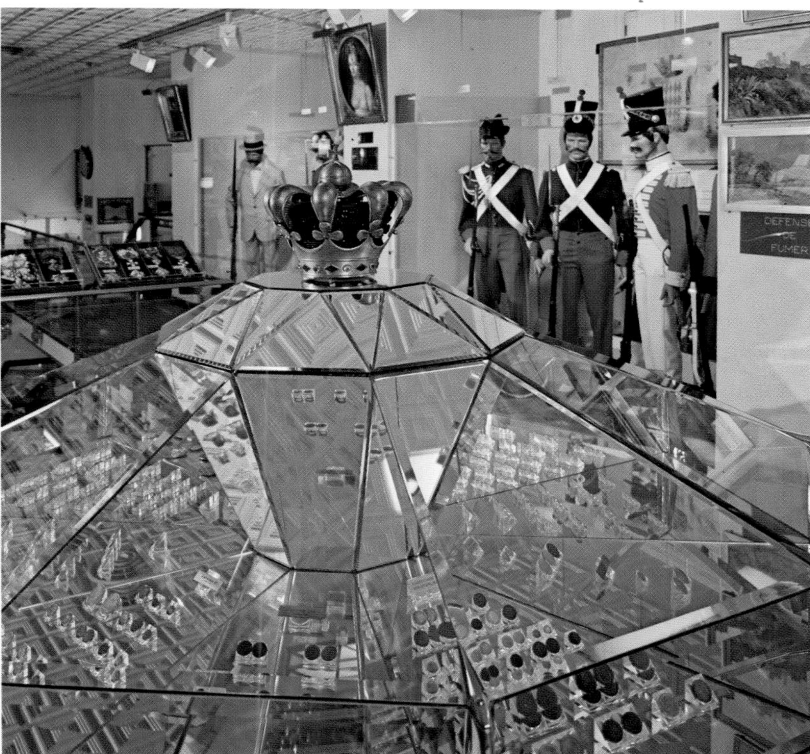

Restauré et modernisé le Palais de Monaco a retrouvé son ancienne splendeur, la majesté qu'il tenait des princes du XVIIe siècle (Honoré II et Louis Ier) et le faste qui règne dans les Grands Appartements.

Le Musée des Souvenirs Napoléoniens y perpétue la passion qu'inspirait au Prince Louis II l'Empereur des Français.

Restored and modernnized, the Palace of Monaco has regained its former splendour, the majesty bestowed on it by the seventeenth-century Princes Honoré II and Louis I, and the sumptuousness of its interior.

Here, the Museum of Napoleonic Souvenirs perpetuates Prince Louis II's admiration for the French Emperor.

Deux séduisants refuges du passé : le Musée National qu'abrite une villa signée Charles Garnier, l'architecte du Casino de Monte-Carlo, et dans lequel se tient une extraordinaire exposition permanente d'automates et poupées d'autrefois, la Collection de Galea, et l'Historial des Princes de Monaco où revivent tant de scènes significatives de l'histoire de Monaco.

Two reminders of the past: the National Museum, housed in a villa built by Charles Garnier, the architect of The Monte Carlo Casino, and containing a remarkable permanent exhibition of antique dolls and automata, the Galea Collection; and the Historial des Princes, a waxworks museum depicting significant episodes in the history of Monaco.

Royaume des plantes succulentes, le Jardin Exotique, avec sa grotte et le Musée d'Anthropologie, surplombe la Principauté. C'est le domaine de l'aberrant végétal, du bizarre, du paradoxal où les Euphorbes candélabres se mêlent aux Cactées des Etats d'Hidalgo ou de Chihuahua, où les Aloès du Cap côtoient les Agaves géants de la terre des Aztèques.

A riot of strange and wonderful plants, the Exotic Garden with its Grotto and Anthropological Museum overlook the Principality. Here are found euphorbia alongside cacti from Hidalgo and Chihuahua, aloes from the Cape and agaves from the land of the Aztecs.

Le Musée Océanographique porte la majestueuse empreinte du génie scientifique du Prince Albert 1er, créateur de l'océanographie, dont le nom est également associé à la recherche de la paix et de la concorde universelles.

The Oceanographic Museum stands witness to the scientific talent of Prince Albert I, the founder of the science of oceanography, whose name is also associated with the quest for world peace and concord.

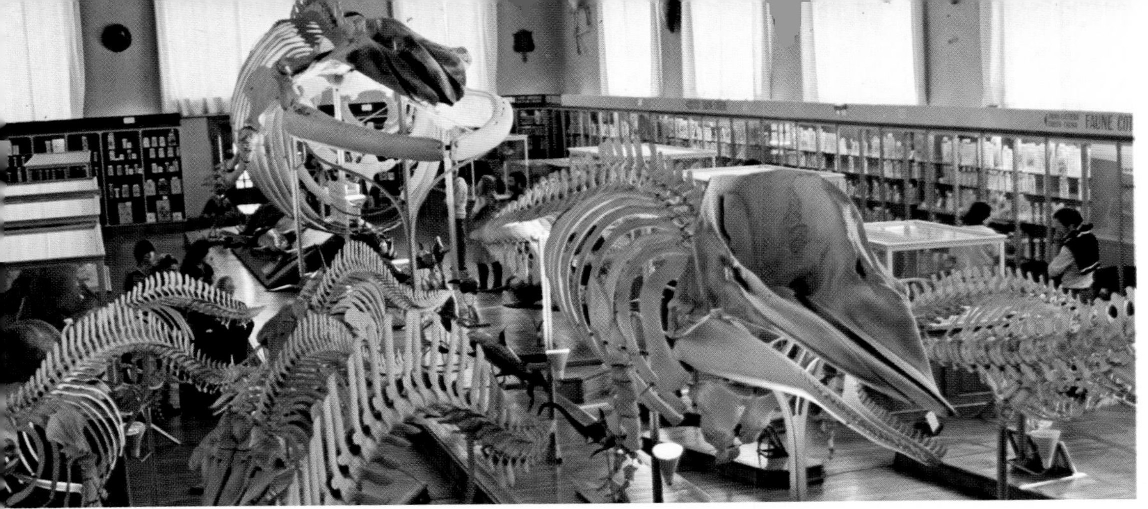

En 1970, à Rome, S.A.S. le Prince Rainier III de Monaco, Président de la Commission Internationale pour l'Exploration Scientifique de la Mer Méditerranée, recommandait d'entreprendre l'opération "Ramoge" visant une action internationale (France-Monaco-Italie) contre les pollutions marines dans la zone de Saint-Raphaël-Monaco-Gênes.

In 1970 in Rome, H.S.H. Prince Rainier III of Monaco, President of the International Commission for the Scientific Expoloration of the Mediterranean, recommended the undertaking of Operation Ramoge. The aim was to take international action (by France, Monaco and Italy) to combat marine pollution in the Saint Raphael - Monaco - Genoa zone.

La métamorphose

Dans les années 1850 la Côte d'Azur qu'on n'appelait pas encore ainsi commençait à prendre un essor imprévu, tant économique que touristique. Les hivers méditerranéens amenaient des milliers d'étrangers, principalement anglais, à Nice et à Cannes. Des châteaux, des hôtels sortaient de terre, le commerce se développait à une surprenante vitesse. Monaco seul demeurait pauvre et oublié.

La Principauté disposait cependant d'un atout maître, son indépendance qui n'avait jamais été si complète, si reconnue. Pourquoi ne pas en profiter pour faire ce qui était interdit en France et réussissait admirablement à deux villes allemandes, Baden-Baden et Hombourg, c'est-à-dire ouvrir comme elles des casinos où le jeu serait autorisé ?

Telle fut l'idée que soumit à Charles III et à sa mère, Eynaud, secrétaire particulier de la princesse. Envoyé en reconnaissance à Baden-Baden, il en revint émerveillé. Le grand-duc régnant avait augmenté son revenu annuel de deux millions !

Eynaud conseilla de masquer l'opération qui pouvait choquer le puritanisme de l'époque derrière une société de bains de mer. Charles III donna son accord et aussitôt des personnages avides d'obtenir la concession l'assaillirent de leurs demandes.

Deux Français, Aubert et Langlois, obtinrent satisfaction. Le 26 avril 1856 ils s'engagèrent à ouvrir un établissement de bains de mer, à construire un hôtel et des villas, à créer des services de bateaux à vapeur et d'omnibus entre Monaco et Nice, "surtout à fournir à leurs clients des plaisirs de toutes sortes... notamment des jeux... aussi bien que la roulette à un ou deux zéros et le trente-et-quarante".

La première pierre du Casino fut posée sur le plateau des Spélugues. En attendant la fin des travaux, Aubert et Langlois louèrent la petite villa Bellevue et, geste historique, y lancèrent la roulette dans des installations dont la précarité surprenait.

Ce triste décor n'aurait pas découragé les amateurs s'ils n'avaient dû risquer leur vie pour satisfaire leur passion. Il leur fallut en effet, nous dit le Comte Corti, emprunter "une espèce de véhicule antédiluvien... qui assurait le service une fois par jour entre Nice et Monaco.

Il ne pouvait transporter, en les secouant à l'envi, que onze voyageurs. La célèbre corniche était certes pittoresque... mais elle était fort tortueuse et ne présentait pas une sécurité à toute épreuve... La diligence y avançait cahin-caha en butant contre les racines et les pierres du chemin. La course durait plus de quatre heures. La route sans parapet longeait le précipice et maint passager arrivait à destination plus mort que vif".

On pouvait, il est vrai, recourir au "Palmeria" un "affreux sabot à vapeur qui avait tout juste l'air assez solide pour ne pas faire naufrage sur une mer d'huile". La chronique prétend que les croupiers le guettaient, l'œil vissé à un télescope. Un seul joueur entra au casino entre le 15 et le 20 mars 1857: il y gagna deux francs !!

Aubert et Langlois abandonnèrent. Ils eurent plusieurs successeurs non moins malheureux. L'un d'eux, Lefebvre, sommé d'achever le casino, préféra faire faillite en 1863. Entre-temps l'accord de 1861 avait prévu non seulement l'indemnité salutaire de quatre millions, mais le passage par Monaco d'une ligne de chemin de fer Nice-Gênes. Cette dernière clause allait produire un effet magique.

Charles III eut le mérite de ne pas renoncer à l'idée d'Eynaud. Ce dernier regagna l'Allemagne afin d'y prendre contact avec un homme qu'on appelait le sorcier de Hombourg car il avait su drainer vers le casino de cette ville les principales fortunes d'Europe. Il s'appelait François Blanc.

Le mémorialiste Charles Monselet a regretté que Balzac n'ait pu observer le personnage: "L'air rusé, tranquille, les lunettes d'or à demi

The metamorphosis

During the 1850s both the economy and the tourist business of the Cote d'Azur (which was not yet so called) began to undergo an unforeseen development. The mild Mediterranean winters were bringing thousands of foreigners, mainly English, to Nice and Cannes. Mansions and hotels were springing up like mushrooms, and trade was developing at an astonishing rate. Monaco alone remained poor and forgotten.

However, the Principality had a trump card - its independence - which had never been so complete or so widely recognised. Why not take advantage of it to do what was forbidden in France and was having such a remarkable success in two Germans towns, Baden-Baden and Homburg? Why not open casinos where gaming would be legal? This was the idea submitted to Charles III and his mother by Eynaud, the Princess' private secretary. The latter was sent off on a fact-finding tour to Baden-Baden and came back enchanted. The reigning grand duke had increased his annual income by two millions!

Eynaud advised that the operation, which might shock puritan elements, should be camouflaged by being run as a sea-bathing company. Charles III signified his agreement, and was immediately assailed with requests for the concession.

Two Frenchmen, Aubert and Langlois, obtained satisfaction. On 26th April, 1856, they undertook to open a sea-bathing establishment, build a hotel and villas, set up steamboat and omnibus services between Monaco and Nice, "and above all to provide pleasures of all sorts, particularly games, including both roulette with one or two zeros and trente-et-quarante".

The first stone of the Casino building was laid on the Spélugues plateau. While waiting for the work to be completed, Aubert and Langlois rented the small villa of Bellevue and, as a historic gesture, started roulette there in astonishingly precarious surroundings.

Apparently, the dismal surroundings would not have discouraged enthusiasts had they not been compelled to risk their lives to satisfy their passion. For, according to Count Croti, they had to take a "sort of antediluvian vehicle... which ran once a day from Nice to Monaco. This boneshaker could transport only eleven persons. The famous Corniche was no doubt picturesque... but it was very tortuous and not particularly safe... the coach struggled along, bouncing from the roots of trees to the stones on the roads. The journey lasted over four hours. The road ran along a precipice without guard rail and many a passenger arrived at his destination more dead than alive".

It was also possible to resort to the "Palmeria", a "frightful old tub of a steamship which seemed to be just about sound enough not to sink on a perfectly calm sea". The story goes that the croupiers watched it coming with a telescope. Only one player visited the Casino between 15th and 20th March 1857; he won two francs!

Aubert and Langlois gave up. They were followed by many others who were no more successful. One of them, Lefebvre, called upon to complete the casino, preferred to become bankrupt in 1863. Meanwhile, the Agreement of 1861 provided not only for an indemnity of four million, but a railway line from Nice to Genoa which was to pass through Monaco. This last clause was to produce magic results.

Charles III had not abandoned Eynaud's idea. Eynaud went back to Germany to make contact with a man known as the "wizard of Homburg", because he had succeeded in drawing the chief fortunes of Europe to the Casino of that town. His name was Francois Blanc.

Charles Monselet, in his memoirs, regretted that Balzac had never seen this person: "Imperturbable, with a crafty look, his gold-framed spectacles falling halfway down his nose, an impertinent smile on the corner of his lips, a strong chin, making no unnecessary gestures... and the air of being always in a hurry and not allowing any importunate person to follow him; such was Francois Blanc".

tombant sur le nez, l'impertinence nichée au coin des lèvres, le menton ferme, le geste rare... et cette démarche toujours pressée qui n'admet aucun importun à sa suite, tel était François Blanc".

Après s'être fait prier le "sorcier" se rendit à Monaco. Le 2 avril 1863 Charles III lui cédait pour cinquante ans le privilège d'exploiter la Société Anonyme des Bains de Mer et le Cercle des Étrangers à Monaco. "Cercle des Étrangers", parce que l'accès du casino était et demeure interdit aux joueurs monégasques.

La Société avait un capital de 15 millions divisé en 30.000 actions. La S.B.M. était chargée des services publics qui logiquement reviennent à l'État. En échange, elle possédait le monopole des jeux.

Alors le prodige s'accomplit. François Blanc qui avait le sens de la publicité offrit, moyennant une somme dérisoire, une villa et des terrains au directeur du Figaro, Villemessant. Ce dernier écrivait :

"M. Blanc a transformé Monaco en une véritable ruée vers l'or californien. Non seulement il découvre des mines, mais il en crée. On dirait qu'une bonne fée a touché Monaco du bout de sa baguette magique. Il fallait encore récemment quatre heures par la route, une heure et demie par la mer, pour aller de Nice à la Principauté. D'ici dix-huit mois le trajet se fera en quinze minutes par train et Monaco deviendra le Bois de Boulogne de Nice. Monaco est le paradis sur terre".

Sur le plateau des Spélugues surgirent dix-neuf hôtels, cent seize villas, des rues, des boulevards, des places, un jardin. Charles III se voyait pourvu d'une nouvelle capitale à laquelle il fallait donner un nom. Après avoir longtemps hésité entre Charleville et Albertville - son fils s'appelait Albert - en juillet 1866 il choisit Monte-Carlo, c'est-à-dire Mont Charles. Le 12 octobre 1868 fut inaugurée la voie ferrée qui traversait la Principauté et le flot des touristes devint un torrent. Les recettes du casino montèrent en flèche. Parallèlement se développa une formidable spéculation sur les terrains. Afin d'en acheter un, certain Parisien démuni emprunta douze mille francs à cent pour cent. L'année suivante, ayant revendu, il payait l'usurier et réalisait un bénéfice de six cent vingt-cinq mille francs ! Blanc supprima alors le deuxième zéro comme il l'avait fait à Hombourg. L'Europe applaudit.

De son côté le Prince prit une décision audacieuse, plus populaire encore. Le 8 février 1869 il supprima tous les impôts directs. C'était attirer après la clientèle du plaisir celle de l'intérêt.

La haute société, principalement anglaise, accourait à Monte-Carlo. Lord Brougham lui-même, malgré son grand âge, vint de Cannes: "En une seule semaine, écrivit-il, émerveillé, j'ai pu parler littérature avec des auteurs en vue, galanterie avec les reines des salons et des théâtres, politique avec des hommes d'État, art avec les artistes les plus renommés".

Un tel succès provoqua évidemment l'envie et l'indignation. Les Niçois adressèrent au gouvernement français une pétition demandant l'abolition des jeux. On leur répondit: "Chaque Prince Souverain est maître chez lui".

Cette précieuse souveraineté, Charles III ne négligeait rien pour l'affirmer. Il fondait l'ordre de Saint-Charles, donnait des titres de noblesse, battait monnaie, émettait des timbres-poste, obtenait la fondation du diocèse de Monaco, ce qui le détachait du diocèse de Nice. La cathédrale de l'Immaculée Conception remplaça la vieille église Saint-Nicolas.

Le 6 septembre 1870, surlendemain de la proclamation de la République, les Niçois parlèrent de marcher sur Monte-Carlo et M. Blanc effrayé ferma le casino. Quelques mois après, non sans embarras le préfet des Alpes-Maritimes lui demandait de le rouvrir, faute de quoi les hôtels de Nice iraient à la faillite. M. Blanc versa une contribution de deux millions à l'indemnité de cinq milliards que la France devait payer

(suite page 64)

The "wizard " finally allowed himself to be persuaded to go to Monaco. On 2nd April 1863, Charles III granted him a fifty year concession to run the "Société Anonyme des Bains de Mer" and the "Cercle des Etrangers à Monaco" - a "Foreigners' Club" - because access to the Casino was and still is forbidden to Monegasques.

The Company had a capital of 15 million divided into 30,000 shares. The S.B.M. was made responsible for public services which were normally incumbent on the State. In exchange it was given a monopoly on gaming activities. And then, the miracle occurred. Francois Blanc, who had a sense for promotion, offered to Monsieur Villemessant, the director of the "Figaro", for a purely nominal sum, a villa and grounds. Monsieur Villemessant wrote: "M. Blanc has transformed Monaco into a veritable Californian goldrush. He not only discovers the mines but also creates them. It might be said that a good fairy has touched Monaco with the end of her magic wand. Until recently, it took four hours to go from Nice to the Principality by road, or one and a half hours by sea. Eighteen months from now the journey will take fifteen minutes by train, and Monaco will become the Bois de Boulogne of Nice. Monaco is Paradise on earth".

Nineteen hotels and one hundred and sixteen villas, streets, boulevards, squares and a park emerged from the Spélugues plateau. Charles III realised that he was being provided with a new capital to which a name would have to be given. After hesitating for a long time between Charleville and Albertville - his son's name was Albert - in 1866 he chose Monte Carlo, i.e. Mount Charles. On 12th October 1868 the railway running through the Principality was inaugurated, and the trickle of tourists became a torrent. Takings at the casino rocketed. At the same time, there was terrific speculation on building sites. In order to buy one, a certain Parisian borrowerd 12,000 francs at 100% interest. The following year, he resold, repaid the usurer, and still made a profit of 625,000 francs! Then Blanc abolished the second zero at the roulette table as he had done at Homburg. Europe applauded him.

For his part, the Prince took a bold decision which was even more popular. On 8th February 1869 he abolished all direct taxation. By this means he attracted, in addition to those who came for pleasure, those who came for interest. High society, particularly the English, flocked to Monte Carlo. Lord Brougham himself, in spite of his great age, came from Cannes: "In one week," he wrote astounded, "I have been able to talk of books with authors in the public eye, pay compliments to the queens of salons and theatres, talk politics with statesmen and art with renowned artists".

Such a success, obviously, caused both envy and indignation. The inhabitants of Nice sent a petition to the French Governement asking for the abolition of gaming. They were told that "every sovereign Prince is master in his own house".

Charles III neglected nothing in affirming this precious sovereignty. He founded the Order of Saint Charles, bestowed titles of nobility, minted money, issued postage stamps and arranged for the founding of the Bishopric of Monaco thus rendering it independent of the Bishopric of Nice. The Cathedral of the Immaculate Conception replaced the old church of Saint Nicholas.

On 6th September 1870, two days after the proclamation of the Republic in France, the inhabitants of Nice threatened to march on Monte Carlo, and M. Blanc, terrified, closed the casinos. A few months later, the Prefect of the Alpes-Maritimes department asked him, in some embarrassment, to reopen it, otherwise the hotels of Nice would go bankrupt.

M. Blanc contributed two million to the reparations of five thousand million which France had to pay to Prussia. He could afford it: in 1871 he had received one hundred and forty thousand gamblers. The number continued to increase. The Emperor Franz-Joseph, the Prince of Wales, and Russian Grand Dukes came more or less regularly. There were now thirty-fve hotels. M. Blanc, who did not consider them suitable for his customers, had the Hotel de Paris built by Jacobi. He wanted it to be the best in the world.

(continued page 64)

G. Boulanger
INCEPTVM IVLIO 1878

1879 IANVARIO EXACTVM

Monte-Carlo où respire le souvenir de Diaghilev qui y fonda les Ballets Russes et de tant d'étoiles qui y dansèrent, de Nijinski à Lifar, de Karsavina à Chauviré, continue d'attirer un public international et la nouvelle compagnie Les Ballets de Monte-Carlo présidée par S.A.S. la Princesse Caroline de Monaco, perpétue cette tradition. L'Académie de Danse Princesse Grace, de son côté prépare de nouveaux disciples à cet art qui a bien su trouver à Monte-Carlo une place prédominante.

Monte Carlo, rich in memories of Diaghilev, founder of the Ballets Russes, and of the many stars who danced there, from Nijinski and Lifar to Karsavina and Chauviré, continues to draw an international public of balletomanes. The tradition is perpetuated by the new company, Les Ballets de Monte Carlo presided by Her Serene Highness Princess Caroline of Monaco. And the Princess Grace Dance Academy trains new performers in this artform which occupies a prominent place in the cultural life of Monte Carlo.

Un prix de composition perpétue la mémoire du mécène éclairé que fut le Prince Pierre de Monaco dans le monde étrange et fascinant de la musique... monde hérissé de pupitres abstraits, habité de "bois suaves, de merveilleuses cordes, de cuivres tout-puissants, forêt magique où parmi la ramure diverse des timbres souffle si tendrement ou si violemment le génie"...[1], par la grâce de l'Orchestre Philharmonique de Monte-Carlo dont les Concerts du Palais Princier constituent la prestation majeure.

(1) Paul Valéry.

A musical composition award perpetuates the memory of Prince Pierre of Monaco, an enlightened patron of music. Paul Valéry described the strange and fascinating world of music as peopled by "sweet wood-winds, wonderful strings, powerful brass, a magic forest where among the diverse foliage of tones genius breathes so softly or so violently". The Philharmonic Orchestra of Monte Carlo gives concerts in the Prince's Palace.

La Cathédrale, construite de 1875 à 1884, résonne fréquemment de grands concerts d'orgue et les voix des enfants de la Maîtrise l'envahissent de leur rumeur printanière cependant que le théâtre du Fort-Antoine accueille, dans les remparts de l'antique forteresse, maints spectacles sous les étoiles.

In the Cathedral, built between 1875 and 1884, choir and organ recitals are frequently given, and many performances are staged out of doors on the ramparts of the old fortress by the Fort Antoine Theatre.

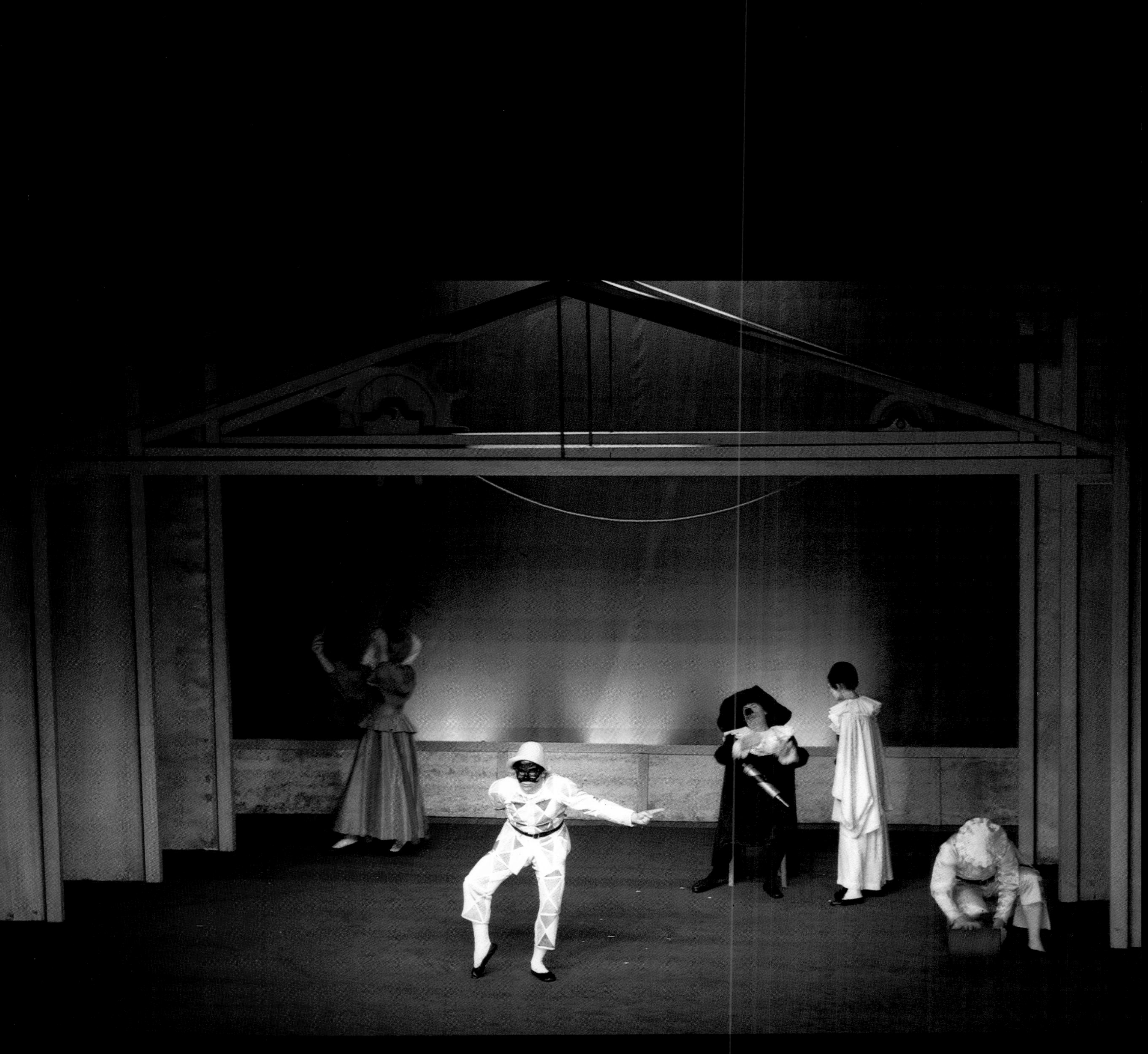

Le Théâtre Princesse Grace, dans le complexe immobilier du Centre de Rencontres Internationales, est devenu le rendez-vous des amateurs de théâtre. Les meilleures troupes se produisent régulièrement en ce lieu d'un goût raffiné.

The Princess Grace Theatre, housed in the International Convention Centre complex, has become the rendezvous of theatregoers. Leading companies regularly perform in this tasteful setting.

à la Prusse. Il pouvait se le permettre: en 1871 il avait accueilli cent quarante mille joueurs.

Ce nombre ne cessa d'augmenter. L'Empereur François-Joseph, le Prince de Galles, des grands-ducs russes vinrent plus ou moins régulièrement. Il y avait maintenant trente-cinq hôtels. M. Blanc, ne les jugeant pas dignes de sa clientèle, fit construire l'Hôtel de Paris par Jacobi. Il voulait que ce fût le premier du monde.

— Dépensez largement, n'épargnez rien, disait-il.

L'argenterie seule coûta cent soixante-quinze mille francs or. En même temps Charles Garnier traçait les plans du futur opéra, précurseur de celui de Paris.

A la mort de M. Blanc en 1877 les recettes du casino atteignaient dix millions. Jusqu'à la fin de la Belle Époque Monte-Carlo resta un quartier général des princes, des millionnaires, des artistes.

Charles III mourut en 1889. Son fils lui succéda à quarante et un ans et prit le nom d'Albert 1er. Il avait épousé une parente de Napoléon III, Lady Mary Victoria Douglas Hamilton, union qui dura à peine un an et dont naquit le Prince Louis. Albert 1er se remaria avec une Américaine, Alice Heine, veuve du Duc de Richelieu.

Le nouveau Prince possédait une forte personnalité. Il tenait de ses lointains ancêtres la vocation de marin à laquelle s'ajoutait la passion des sciences, plus particulièrement celle de l'océanographie. Dès 1885, sur les conseils du Professeur Milne Edwards, il avait entamé ses campagnes de recherches sur un bateau de 200 tonneaux: l'"Hirondelle I" qui le mena à travers les mers du globe.

Les résultats obtenus avec d'aussi faibles moyens sont si encourageants que le Prince, désireux d'étendre le champ de ses explorations, fait construire en 1891 un yacht spécialement conçu pour les travaux océanographiques: le "Princesse Alice I", puis en 1897: le "Princesse Alice II", navire encore plus puissant et mieux aménagé à bord duquel il explorera les mers arctiques, jusqu'au nord du Spitzberg, et établira la première carte bathymétrique des océans, enfin l'"Hirondelle II", élégant navire en acier jaugeant 1.650 tonneaux, doté de machines développant une puissance de 2.000 chevaux et disposant de laboratoires et d'un outillage scientifique des plus perfectionnés.

Sous son règne, la cité frivole devint aussi le rendez-vous des savants et fut aménagée en conséquence. Albert 1er, grand bâtisseur, posa le 25 avril 1899 la première pierre du Musée Océanographique, destiné à recevoir les collections d'animaux et de fossiles ramenées de ses expéditions. L'édifice, achevé en 1910, contient notamment une immense bibliothèque scientifique et le fameux aquarium où quatre-vingts bassins abritent des centaines de poissons venant aussi bien de la Méditerranée et de l'Atlantique que de l'océan Indien, de la mer de Chine et de la mer de Corail. Le Musée contient encore dix mille espèces de coquillages, des laboratoires, les instruments de pêche que le Prince avait fait descendre à six mille mètres de profondeur et bien d'autres merveilles. Une station météorologique lui fut rattachée: elle n'a pas cessé de fonctionner, ainsi que des laboratoires où peuvent être poursuivies les études concernant la vie sous-marine.

Pour conserver le résultat de ses croisières, il avait fait construire le Musée Océanographique; pour les faire connaître il fonda, à Paris, l'Institut Océanographique et publia divers ouvrages dont le plus connu est "La Carrière d'un Navigateur".

Le nom de ce Prince qui fut membre de l'Institut et correspondant des sociétés savantes de son temps est aussi étroitement associé à la découverte, par les Professeurs Richet et Portier, de l'anaphylaxie, découverte dont les circonstances sont liées à l'expédition qu'il dirigea en 1901 dans les parages des Açores et des îles du Cap Vert où foisonne la Physalie.

"Spend liberally and do not stint", he said.

The silverware alone cost one hundred and seventy-five thousand gold francs. At the same time Charles Garnier was drawing the plans of the future opera house, a replica of that in Paris. At the death of M. Blanc in 1877, the casino revenue had reached ten million. Until the end of the Belle Époque, Monte Carlo remained the venue of princes, millionaires and artists.

Charles III died in 1889. His son succeeded him at the age of forty-one and took the name of Albert I. He had married a relative of Napoleon III, Lady Mary Victoria Douglas Hamilton, a marriage which lasted scarcely a year and from which was born Prince Louis. Albert I then married Alice Heine, an American, widow of the Duke of Richelieu.

The new Prince had a strong personality. From his remote ancestors he had inherited a call of the sea to which was added a passion for the sciences, and particularly oceanography. As from 1885, on the advice of Professor Milne Edwards, he had begun his campaign of research with a 100 ton ship — Hirondelle I — on which he sailed the seven seas.

The results obtained with such slight resources were so encouraging that the Prince, wishing to extend the scope of his explorations, had a yacht specially designed for oceanographic research built in 1891 — Princess Alice I. This was followed in 1897 by Princess Alice II - an even more powerful ship with better equipment on board with which he explored the arctic seas to the North of Spitzberg and made the first bathymetric chart of the oceans. Last, there came Hirondelle II — an elegant ship of steel with a displacement of 1650 tons and equipped with engines developing 2,000 h.p., laboratories and the most highly perfected scientific instruments.

During his reign, the frivolous city also became a rendez-vous for scientists and was equipped for this purpose. Albert I, the great builder, laid the first stone of the Oceanographic Museum for housing the collections of animals and fossils brought back from his expeditions, on 25th April 1899. The building, which was completed in 1910, included a huge scientific library and the famous aquarium where eighty tanks contained hundreds of fishes coming from the Mediterranean, the Atlantic, the Indian Ocean, the China Sea and the Coral Sea. The museum still contains ten thousand species of shells, laboratories, and fishing equipment which the Prince had lowered to six thousand metres, and many other marvels. A meteorological station was attached to it; it is still operating, as are the laboratories in which research into marine life is pursued. In order to preserve the results of his cruises, he had the Oceanographic Museum built; in order to make them known he founded the Oceanographic Institute in Paris and published various works, the best known of which is "La Carrière d'un Navigateur".

The name of this Prince, who was a member of the Institute and a correspondent of the learned societies of his time, is also closely associated with the discovery, by professors Richet and Portier, of anaphylaxy, discovered in circumstances related to the expedition he directed in 1901 in the neighbourhood of the Azores and Cape Verde islands, where the Physalia abounds.

This delicate animal of the coelentera family secretes a poison endowed with the property of decreasing rather than increasing immunity. This phenomenon, the applications of which in bacteriology and pathology are numerous, has been given the name of anaphylaxia as opposed to the usual phenomenon of prophylaxia.

Albert I was not only interested in the sea. In 1902 he founded the Anthropological Museum to house the fruits of his prehistoric explorations and showing the evolution of mankind since pithecanthropus.

He created the Exotic Gardens — one of the splendours of the Principality. Here can be seen a comparison of all the succulent plants from a hundred different countries. The flora of the Mediterranean rubs shoulders with that of Mexico, Africa and America. Thousands of visitors come to see this prodigious collection every year.

Animal fragile de la famille des cœlentères, la Physalie secrète un venin doué de la propriété de diminuer au lieu de renforcer l'immunité.

C'est ce phénomène, dont les applications sont multiples en bactériologie et en pathologie, qui a reçu le nom d'anaphylaxie que l'on oppose au phénomème habituel de la prophylaxie.

Albert 1er ne s'intéressait pas seulement à la mer. En 1902 il fonda le Musée d'Anthropologie, qui reçut la moisson de ses explorations préhistoriques et permet de suivre l'évolution de l'humanité depuis le pithécanthrope.

Il créa le Jardin Exotique, une des splendeurs de la Principauté. On y voit une confrontation universelle des plantes succulentes dites plantes grasses appartenant à cent contrées diverses. La flore de la Méditerranée y voisine avec celle du Mexique, de l'Afrique et de l'Amérique. Des milliers de visiteurs viennent admirer chaque année ce prodigieux ensemble.

Albert 1er reconstruisit la place de la Visitation, restaura le Palais Princier. Il fit aménager un port moderne en approfondissant la rade protégée par deux jetées. Cela laissait une passe d'environ cent mètres. Un tunnel fut creusé sous le rocher, il relia le port à un nouveau quartier gagné en partie sur la mer, celui de Fontvieille, où naquirent des industries (minoterie, brasserie).

Les sports mécaniques ne pouvaient que passionner un savant tel que le Prince. 1898 avait vu se dérouler à Monte-Carlo un singulier concours d'élégance, celui des "voitures sans chevaux". En 1911 eut lieu le premier Rallye Automobile tandis que les canots automobiles et les "hydroaéroplanes" se mesuraient dans le port où, rappelons-le, de grands noms de l'aviation, Santos-Dumont et Rougier notamment, effectuèrent des essais.

Les arts n'étaient pas oubliés. Dirigé de 1892 à 1951 par Raoul Gunsbourg, l'Opéra de Monte-Carlo accueillait les plus illustres chanteurs, de Chaliapine à Caruso, de Nellie Melba à Félia Litvinne. Nombre d'œuvres lyriques y furent créées, notamment la "Damnation de Faust" de Berlioz, le "Don Quichotte" de Massenet, "L'Enfant et les Sortilèges" de Ravel.

En 1911, Monte-Carlo devint un haut lieu de la chorégraphie, refuge de l'École Impériale Russe quand Serge de Diaghilev y eut installé ses Ballets Russes. Là furent dansés pour la première fois des ballets aussi fameux que "le Spectre de la Rose", "Petrouchka", le "Prélude à l'Après-Midi d'un Faune".

Le progrès sous ses aspects multiples trouvait son compte à la fête perpétuelle où se pressait l'élite d'une société qui atteignait son apogée à la veille de disparaître. De 1.200 habitants en 1861 la population monégasque était passé à 23.000 en 1913.

Albert 1er était l'ami de tous les souverains d'une Europe encore monarchique et joua maintes fois un rôle discret dans la politique internationale. S'efforçant de prévenir un conflit trop prévisible, il fonda un Institut International de la Paix. Il promulgua, le 5 janvier 1911, une Constitution qui ne donna pas entièrement satisfaction et fut modifiée en 1917.

La Première Guerre mondiale avait éclaté. Monaco observa une stricte neutralité bien que le prince héréditaire Louis combattît dans l'armée française et se couvrît de gloire au Chemin des Dames.

Les hôtels de Monte-Carlo se changèrent en hôpitaux. C'était la fin d'une ère, la fin d'une certaine douceur de vivre, d'une certaine folie, d'ailleurs propice à des créations magnifiques, et dont Monte-Carlo avait été l'un des plus prestigieux symboles.

(suite page 112)

Albert I rebuilt the "Place of Visitation" and restored the Palace of the Princes. He had a modern harbour made by deepening the moorage formed by the two jetties, providing a harbour entry about one hundred metres wide. A tunnel was pierced under the rock to join the harbour to a new district partly reclaimed from the sea – that of Fontvieille, where industries (milling and brewing) sprang up.

Mechanical sports could not fail to interest a scientist such as the Prince. In 1898 a remarkable and fashionable competition – that of the "horseless carriages" – took place at Monte Carlo. In 1911 the first car rally took place there, while motor boats and seaplanes competed in the harbour where, incidentally, such great names in the history of aviation as Santos Dumont and Rougier carried out tests.

Nor were the arts forgotten. The Monte Carlo Opera, directed from 1892 to 1951 by Raoul Gunsbourg, received the most famous singers from Chaliapine to Caruso and from Nelly Melba to Félia Litvinne. Numerous operas were performed there for the first time, including "The Damnation of Faust", by Berlioz, "Don Quichote" by Massenet and "L'Enfant et les Sortilèges" by Ravel.

In 1911 Monte Carlo became a centre of ballet and the refuge of the Russian Imperial School when Serge de Diaghilev installed his Ballets Russes. Here ballets as famous as "Le Spectre de la Rose", "Petruchka", and "Prélude à l'Après-Midi d'un Faune" were danced for the first time.

Progress from all points of view was taking its toll of the very way of life pursued by the elite of a society whih was reaching its zenith and was doomed to disappear. The population of Monaco had increased from 1,200 in 1861 to more than 23,000 in 1913.

Albert I was a friend of all the sovereigns of a Europe which was still monarchical, and he frequently played a discreet role in international politics. In an effort to prevent the conflict whose imminence was only too clear he founded an International Peace Institute. On 5th January 1911 he promulgated a constitution which, however, did not give entire satisfaction and was modified in 1917.

By then, the first world war had already broken out. Monaco observed a strict neutrality, although the hereditary Prince Louis fought in the French army and distinguished himself at the Chemin des Dames.

The hotels of Monte Carlo were converted into hospitals. This was the end of an epoch, the end of a certain dolce farniente and a certain madness which, incidentally, was propitious to magnificent creative innovations, of which Monte Carlo has been one of the most famous symbols.

(continued page 112)

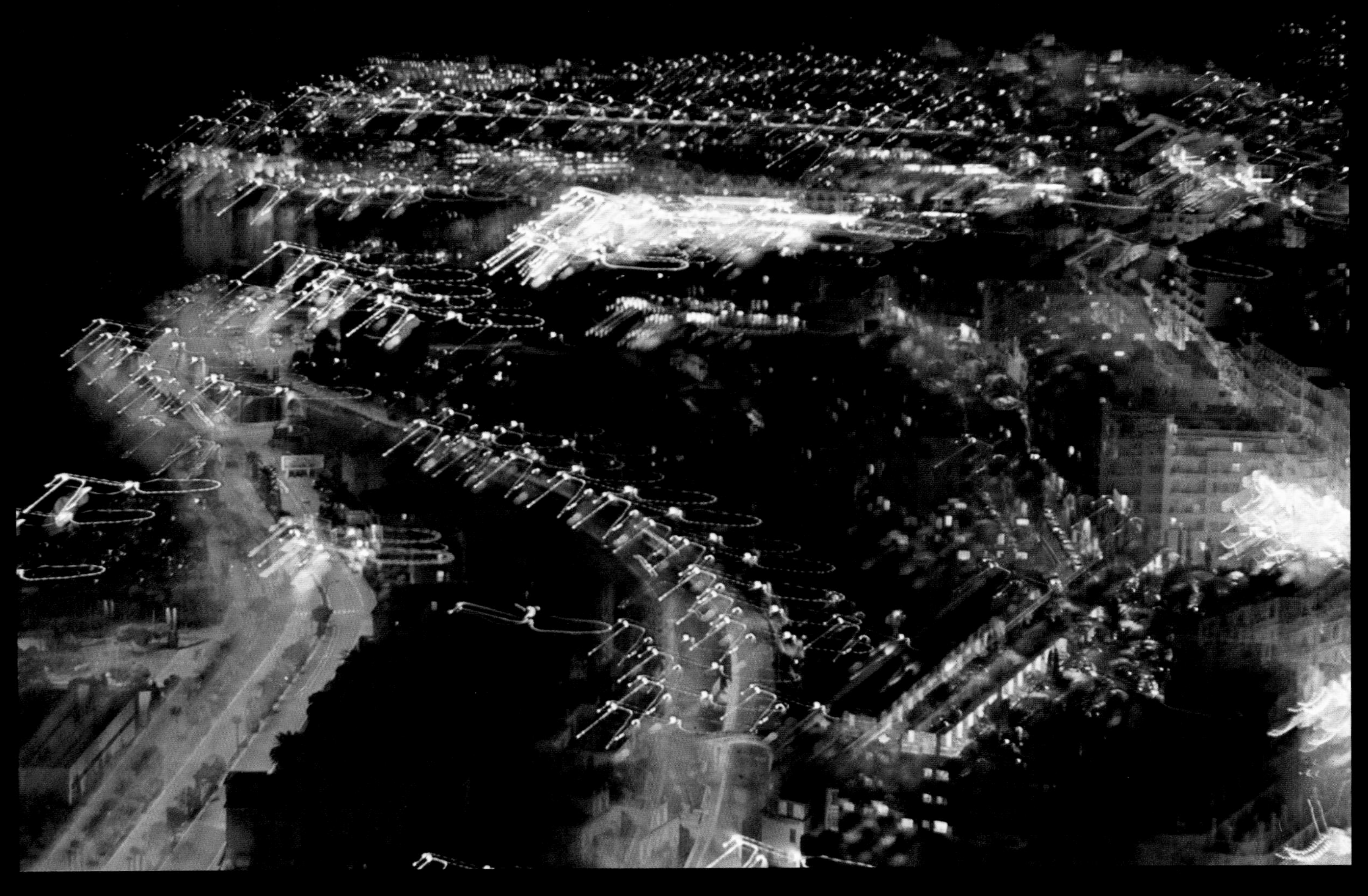

Féerie nocturne... Il semble que toute l'énergie solaire accumulée se dépense la nuit...

Prodigalité joyeuse et polychrome. Pleins feux sur les murailles du passé, sur les monuments de l'histoire, sur les immeubles et les ouvrages du présent, dans les ramures des jardins.

Crépitements d'éblouissants feux d'artifice qu'étouffe le silence de la nuit.

A nocturnal fairyland... all the solar energy accumulated during the day seems to be expended at night. A riot of gaiety and colour, with buildings, monuments and gardens illuminated and the sky bright with fireworks.

Le Monte-Carlo Sporting Club: un complexe... mais de supériorité dans le domaine des loisirs nocturnes, avec ses salles de jeux, ses cabarets et l'immense Salle des Étoiles dont tant de galas, à l'instar de celui de la Croix Rouge Monégasque, contribuent à faire un des hauts lieux des nuits azuréennes.

Monte Carlo Sporting Club is a complex which comes into its own at night, with its gaming rooms, cabaret shows, and the immense Salle des Étoiles, the scene of many galas, like the Gala of the Monégasque Red Cross, which help to make the Sporting Club one of the shrines of night life on the Côte d'Azur.

Les shows de la Salle des Étoiles, les griseries du Maona et du Jimmy'z, le Cabaret du Casino, le Folie Russe du Loews sont quelques unes des facettes les plus brillantes du "Monte-Carlo by night"...

The shows put on in the Salle des Étoiles, the excitements of the Maona and Jimmy'z, are among the most brilliant features of Monte Carlo by night.

Quand l'été fait les nuits merveilleusement douces et que s'ouvre le plafond de la salle de gala du Monte-Carlo Sporting Club sur un ciel d'encre et d'or où rutilent et s'effacent tant de constellations éphémères, jamais n'est plus justifié le nom qu'on lui donne de “Salle des Étoiles” !

The Salle des Étoiles lives up to its name on wonderfully mild summer nights when the gala room of the Monte Carlo Sporting Club opens its roof, revealing the starry firmament.

Le casino de Monte-Carlo se profilant sur la silhouette de l'hôtel Loews: deux styles de vie (l'héritage d'un fastueux passé, l'irrésistible poussée du futur), deux langages architecturaux qui se rejoignent dans une image de synthèse harmonieuse que prolonge la mer immuable.

C'est aussi le monde du jeu que domine la Société des Bains de Mer.

Dans le hall de l'hôtel de Paris, la statue équestre du Roi Soleil continue de sécuriser la superstition des joueurs.

The Monte Carlo Casino, outlined against the Hotel Loews: two styles (the heritage of a sumptuous past and the irresistible march of progress), two different forms of architectural expression which merge harmoniously with each other and with the changeless sea.

The gaming world is run by the Société des Bains de Mer. In the hall of the Hotel de Paris, the equestrian statue of the Sun King still reassures superstitious players.

En 1860, le Prince Charles III autorisait la constitution de la Société des Bains de Mer. Le Casino était inauguré le 18 février 1863.

Ainsi débutait une ère fabuleuse. Par le génie de François Blanc, homme d'affaires avisé et sensible, un terrain de pierrailles aride devenait le jardin des Hespérides sous le nom de Monte-Carlo.

In 1860, Prince Charles III authorized the creation of the Société des Bains de Mer. The Casino was inaugurated on 18th February 1863. It was the beginning of a fabulous era.

Thanks to the genius of François Blanc, a clever and appreciative businessman, an arid, stony site became the Garden of the Hesperides under the name of Monte Carlo.

Bally
LEFT OR
SUPER SYMBOLS
Play 1 To 5 Coins
Play 1 To 5 Coins
PLAY ONE TO FIVE COINS BEFORE PULLING HANDLE
INSERT COIN
JOUER DE 1 A 5 PIECES
GIOCARE DA 1 A 5 PEZZI
PLAY 1 TO 5 COINS
INSERT COIN
TILT
SBM LOEWS MONTE-CARLO
SBM LOEWS MONTE-CARLO

Le souvenir de S.A.S. la Princesse Grace continue d'avoir, dans le monde, la qualité d'une émotion unanimement partagée.

Pendant toute Son existence, Elle S'était montrée acquise à l'amour de la Vie, de l'Humain, de l'Art et, d'une manière générale, de tout ce que l'esprit peut exprimer de noblesse ; le cœur, de générosité et l'âme, de beauté.

Elle laisse notamment, avec ce qui était sa richesse de sentiments perpétuellement en acte, des créations dont Elle fut l'inspiratrice : le *"Garden Club de Monaco"* (Son livre : "My book of flowers" dit assez avec quelle finesse Elle entendait le langage des fleurs)...

The memory of H.S.H. Princess Grace is still cherished by her admirers throughout the world.

The Princess was always a lover of life, humanity and art, and possessed a true nobility of spirit, combining kindness, generosity, and an appreciation of beauty.

Along with the memory of her admirable sentiments which found expression in so many different ways, she left behind her a number of creations of her own inspiration, among them the Monaco Garden Club. Her volume "My Book of Flowers" reveals her sensitive understanding of the language of flowers.

La Fondation Princesse Grace, dont la présidence est assurée depuis 1983 par S.A.S. la Princesse Caroline, a une double vocation : humanitaire et culturelle (elle soutient l'Académie de Danse Classique Princesse Grace et l'Académie de Musique Rainier III et a créé la Princess Grace Irish Library dont les travaux sont distribués dans le monde entier).

Conformément au souhait de S.A.S. la Princesse Caroline, son action dans le domaine humanitaire est aujourd'hui plus particulièrement tournée vers l'enfance handicapée, notamment la rénovation des locaux de l'Hôpital de Jour Costanzo à Nice achevée en 1994 et les accords conclus avec les quatre plus grands hôpitaux pédiatriques de Paris.

The Foundation Princess Grace, which has been presided over by H.S.H. Princess Caroline since 1983, has two vocations: humanitarian and cultural (it supports the Princess Grace Academy of Classical Dance and the Rainier III Academy of Music and created the Princess Grace Irish Library whose works are distributed all over the world.

Following the wishes of H.S.H. Princess Caroline, its humanitarian actions today are directed particularly toward handicapped children. It has participated in the renovation of the Hôpital de Jour Costanzo in Nice, work which was finished in 1994, as well as agreements with four large pediatric hospitals in Paris.

Sensible à toutes les formes de l'expression artistique, S.A.S. la Princesse Grace a également favorisé la création du Concours International de Bouquets devenu, au fil des années, un événement de grand style, aujourd'hui perpétué par S.A.S. la Princesse Caroline.

Appreciative of all forms of artistic expression, H.S.H. Princess Grace also promoted the creation of the International Bouquet Contest which, over the years, has become a very stylish event. Today, H.S.H. Princess Caroline continues the tradition.

L'Exposition Internationale des Antiquaires et des Galeries d'Art, biennale prestigieuse, réunit au Sporting d'Hiver, des objets rares découverts, rassemblés, proposés par les experts les plus illustres et déploie, pour l'enchantement des amateurs, un éventail de richesses innombrables, pailleté des noms des Marchands d'Art les plus fameux.

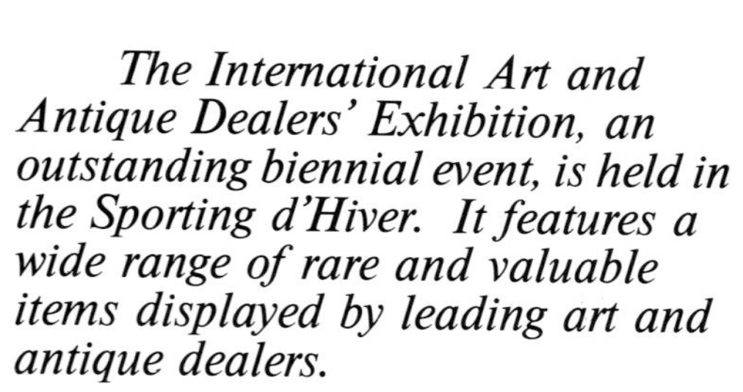

The International Art and Antique Dealers' Exhibition, an outstanding biennial event, is held in the Sporting d'Hiver. It features a wide range of rare and valuable items displayed by leading art and antique dealers.

La Principauté de Monaco est ainsi devenue l'un des hauts lieux du marché de l'Art. Les tableaux de maîtres célèbres, les pièces de mobilier précieux, les voitures anciennes ou de prestige et autres objets uniques atteignent des prix impressionnants lors des ventes aux enchères organisées par les sociétés spécialisées les plus réputées.

The Principality of Monaco has become one the world's major marketplaces for art. Paintings by old masters, precious furniture, classic and prestigious automobiles and other unique items attain impressive prices in auctions organized by world renowned specialized firms.

Tribunes combles, balcons envahis, grappes humaines sur les glacis du Rocher, plus de cent mille fanatiques venus de partout, telle est l'ambiance de la Course dans la Cité, rendez-vous des pilotes et des constructeurs.

Plus difficile à gagner qu'un championnat du Monde, le Grand Prix de Monaco est, de l'avis de Graham Hill qui le remporta cinq fois, la consécration d'un champion.

Stands, balconies and the slopes of the Rock packed with spectators; more than a hundred thousand motor racing enthusiasts from far and near flock to watch the Grand Prix de Monaco, a major event for drivers and car manufacturers. More difficult than a world championship, this race is considered by Graham Hill (who has won it five times) to be the consecration of a champion.

LOTO
EMPIRE

FOSTERS
Marlboro
ellesse
Marlboro

27
FIAT
Agip
arexons

N

GOODYEAR

Créé par S.A.S. le Prince Rainier III, le Festival International du Cirque a été salué avec enthousiasme par les directions de tous les chapiteaux du monde.

Ses objectifs: sensibiliser l'opinion publique internationale aux problèmes du Cirque, favoriser un vaste mouvement de sympathie à l'égard de ce spectacle de valeur intemporelle, en restaurer l'éminente dignité.

Created by H.S.H. Prince Rainier III, the International Circus Festival has been enthusiastically acclaimed by circuses all over the world. Its objectives are to bring the problems of the circus world to the notice of international public opinion, to promote this timeless form of entertainment, and to restore its dignity.

CIRQUE

On ne dira jamais assez quelle haute école professionnelle et morale est le cirque ni quelle extraordinaire conciliation de valeurs antagonistes: la violence et la grâce, le calcul et l'improvisation, la souplesse et la rigueur, le risque et la fantaisie, l'adresse et la force, la sueur et la farce, avec en filigrane, la volonté, l'audace, le goût de la perfection et le sens de l'authenticité.

The high professional and moral standards of the circus cannot be overemphasized, nor can its remarkable reconciliation of contrasting values: violence and grace, planning and improvisation, flexibility and rigour, risk and fantasy, skill and strength, hard work and high jinks, all with a seasoning of determination, daring, perfectionism and a feeling for authenticity.

A 810 mètres d'altitude sur le Mont-Agel, à quinze minutes en voiture de Monte-Carlo, le Monte-Carlo Golf Club (18 trous, par 71) est ouvert toute l'année. Plus de 40 compétitions y sont jouées chaque année, parmi lesquelles : la Coupe du Prince Pierre, la Coupe du Président et surtout le Monte-Carlo Golf Open qui, jusqu'en 1992, a rassemblé les plus grands professionnels du monde.

Located on Mont Agel at an altitude of 810 metres, the Monte Carlo Golf Club (18 holes, par 71) is open all year round. More than 40 tournaments are held there annually, including the Coupe du Prince Pierre, the Coupe du Président, and up until 1992, the Monte Carlo Golf Open, which drew the world's leading professional players.

Non moins considérable que celle du Grand Prix de Monaco, la notoriété du Rallye Automobile Monte-Carlo fait de cette grande confrontation le championnat du monde du sport automobile sur route hivernale.

Son image de marque est celle de l'épreuve la plus rigoureuse de conduite sur neige et verglas.

Et le soleil qui traditionnellement préside à l'arrivée, s'offre en prime au triomphe du vainqueur.

Ranking in importance with the Grand Prix de Monaco, the Monte Carlo Rally is the world motorsport championship event in winter driving conditions. It is recognized as the severest test of driving on icy and snow-bound roads. The sun which traditionally shines at the finish line is an added bonus for the winner.

BOSS
VOLVO
EBEL
GRUNDIG
LOGES
H

CARLO OPEN '94
CARLO OPEN '94
IBM
VOLVO
EBEL
LA MONTRE
FILA
BOSS
FILA
FILA
FILA

Disputés sur les courts du Monte-Carlo Country Club, les Internationaux de Tennis de Monte-Carlo, l'un des plus grands tournois mondiaux, ouvrent traditionnellement la saison sur terre battue et sont les premiers à susciter le rassemblement des foules et des champions.

Played on the courts of the Monte Carlo Country Club, the Monte Carlo International Tennis Championships traditionally open the clay court season. This leading world event, contested by champions, draws large crowds every year.

Dynamisme et Tradition

L'année suivante, à un moment particulièrement critique de la guerre, la France s'inquiéta de l'avenir de la Principauté. Le Prince Héréditaire Louis était en effet célibataire à quarante-huit ans et sa succession paraissait destinée à la famille allemande d'Uracht-Wurtemberg issue d'une sœur de Charles III.

Aussi les deux États furent-ils amenés à définir leurs rapports: le traité signé le 17 juillet 1918 fut entériné par la Conférence de Versailles. Parallèlement, le Prince obtint, d'une part, la révision des accords économiques, périmés en raison de la dévaluation du franc, et, d'autre part, il assura la sauvegarde de la dynastie.

La fille du Prince Louis, la Princesse Charlotte, fut solennellement adoptée à Paris en présence de Poincaré, président de la République, et du ministre des Affaires étrangères. Elle était en même temps reconnue comme héritière de la Maison régnante.

En 1920 la Princesse Charlotte épousa le Comte Pierre de Polignac, grand seigneur, autant par sa naissance que par l'étendue de son esprit, la noblesse de son cœur, la grâce de ses manières. Conformément aux statuts régissant la Famille Souveraine, il prit le nom et les armes des Grimaldi. Deux enfants naquirent: en 1921 la Princesse Antoinette; en 1923 celui qui serait un jour le Prince Rainier III.

D'autres problèmes, très graves, se posaient depuis la fin de la guerre. Les grands-ducs de la Belle Époque et ses magnats d'Europe centrale étaient loin. Le nombre de millionnaires qui passaient leur vie à se distraire avait singulièrement diminué. Monaco devait maintenant se conformer aux goûts d'une nouvelle clientèle.

A peine cet effort accompli, il fallut affronter la grande crise internationale qui sévit à partir de 1929, puis la concurrence des jeux désormais autorisés en France.

En 1922 le Prince Louis II avait succédé à Albert Ier. Sous son règne la Principauté montra une fois encore son extraordinaire faculté de s'adapter à des circonstances difficiles. Ne l'avait-elle pas fait continuellement au cours des siècles ? Notons pendant cette période le percement, pour faciliter la circulation, d'une grande galerie sous le Rocher, la fondation du Bureau Hydrographique International et surtout celle du Grand Prix Automobile de Monaco, première course dans une ville. Elle n'a pas cessé d'attirer la foule des spectateurs. On les compte aujourd'hui par dizaines de milliers.

Bien que la Société des Bains de Mer eût créé le Sporting d'Hiver son importance diminuait au cours de l'évolution qu'exigeaient les temps modernes. En 1887 ses redevances représentaient 95% des revenus du Trésor. Elles tombèrent à 30%. En 1936 la S.B.M. fut ramenée au rang d'une société privée.

Ainsi, durant l'entre-deux guerres, la Principauté sut non seulement éviter les récifs, mais améliorer son économie qui restait cependant fragile.

Pendant le deuxième conflit mondial les Italiens, puis les Allemands l'occupèrent. Lorsque les alliés débarquèrent en Provence, le Prince Héréditaire s'engagea à son tour dans l'armée française. Sa brillante conduite, notamment en Alsace, lui valut la croix de guerre.

En 1949, le Prince Louis II s'éteignit.

Devenu Prince Héréditaire à sa majorité en 1944, (sa mère, Son Altesse Sérénissime la Princesse Charlotte ayant renoncé à ses droits de succession), Rainier III monta sur le trône le 11 novembre et fit choix du 19 novembre, journée dédiée à Saint-Rainier de Pise, pour la célébration de la Fête Nationale Monégasque. Ce jeune souverain de vingt-six ans, sportif, cultivé, curieux de toutes choses, manifesta immédiatement le souci de maîtriser les multiples tâches du Gouver-

Energy and Tradition

The following year, at a particularly critical time of the war, France became anxious about the future of the Principality. The hereditary Prince Louis was still unmarried at 48, and the next in line of succession was a member of the German family of Uracht-Wurtemberg, the descendant of a sister of Charles III. The two States were therefore obliged to define their relations; the treaty signed on 17th July 1918 was ratified by the Versailles peace conference. At the same time, the Prince secured the revision of the economic agreements, which were outdated by the devaluation of the franc, and also ensured the future of the dynasty.

The daughter of Prince Louis, Princess Charlotte, was solemnly adopted in Paris in the presence of Poincaré, President of the Republic, and the Minister of Foreign Affairs. At the same time she was recognised as successor to the reigning house.

In 1920, the Princess Charlotte married Count Pierre de Polignac, a great aristocrat not only by birth but by his breadth of culture, nobility of spirit and graceful manners. In accordance with the statutes governing the sovereign family, he took the name and coat of arms of the Grimaldis. There were two children from this marriage; in 1921 Antoinette was born, and in 1923 the child who was to become Prince Rainier III.

Other, very serious problems arose at the end of the war. The great dukes of the Belle Époque and the magnates of central Europe were far away. The number of millionaires who spent their life in amusements had singularly declined. Monaco henceforth had to accomodate the tastes of a new public. Hardly had the effort to do so been completed when the great international crisis of 1929 began to wreak havoc; this was followed by competition from gaming establishments henceforth authorised in France.

In 1922, Prince Louis II had succeeded Albert I. Under his reign, the Principality once again gave proof of its extraordinary ability to adapt itself to difficult circumstances. Had it not been doing so for centuries? During this period a tunnel was pierced under the Rock to facilitate the flow of traffic, the International Hydrographical Bureau was founded, and, above all, the Grand Prix Automobile of Monaco, the first race to take place in a town, was inaugurated. It still draws crowds; Spectators today number in the tens of thousands.

Although during this period the "Société des Bains de Mer" had created the "Sporting d'Hiver", its role changed with modern progress. In 1887 it had accounted for 95% of Treasury revenue. This now decreased to 30%. In 1936, the S.B.M. became a private company. Thus, between the wars, the Principality was not only able to avoid disaster but to improve its economy, although it still remained fragile.

During the Second World War it was occupied first by the Italians and then by the Germans. When the allies landed in Provence, the Hereditary Prince in his turn volunteered for the French army. His brilliant conduct, particularly in Alsace, won him the Croix de Guerre.

In 1948, Prince Louis II died.

On attaining his majority in 1944, Rainier III became Hereditary Prince (his mother, Her Most Serene Highness the Princess Charlotte, having renounced her right of succession) and ascended to the throne on 11th November; he chose the 19th November, the day devoted to Saint Rainier of Pisa, for the celebration of the Monegasque national holiday. This young, twenty-six year old Sovereign, a sportsman, cultured and interested in everything, immediately gave evidence of a concern for taking in hand the various tasks of government. His guiding principles were complementary: to impart to the State structures adapted to modern requirements and to respect the tradition on which its originality was based. He was to declare: "A new spirit introduced into an ancient framework has consecrated modern principles without necessarily renouncing tradition; there is adjustment and not up-

nement. Deux idées-forces le guidaient qui n'étaient pas contradictoires, mais complémentaires: donner à son Etat les structures correspondant aux nécessités de l'époque et respecter les traditions qui en faisaient l'originalité. Il devait déclarer: "Un esprit nouveau introduit dans des cadres anciens a consacré des principes modernes sans pour autant renier la tradition; il y a ajustement et non bouleversement; il y a évolution et non révolution".

En 1956, le Prince épousa une artiste américaine universellement connue aussi bien pour son talent que pour sa beauté, Miss Grace Patricia Kelly. Trois enfants naquirent: la Princesse Caroline en 1957, le Prince Albert en 1958 et la Princesse Stéphanie en 1965. Ce mariage eut un immense retentissement, en particulier aux États-Unis, et contribua beaucoup au rayonnement de la Principauté.

Depuis 1911 la question constitutionnelle n'avait jamais été réglée de façon satisfaisante. Le 28 janvier 1959 le Prince suspendit partiellement l'application de la Constitution et en fit préparer une autre qu'il promulgua le 17 décembre 1962. On a dit que le régime instauré de la sorte restait constitutionnel sans devenir parlementaire.

Le pouvoir exécutif relève de la souveraineté fondamentale du Prince, qui ne la partage pas avec le peuple. C'est librement qu'il s'engage à limiter ses prérogatives.

Le Gouvernement est exercé sous la haute autorité du Prince par un Ministre d'État nommé par lui, mais de nationalité française. Le Ministre d'Etat est assisté de trois Conseillers de Gouvernement également nommés par le Prince.

Un Conseil National de dix-huit membres élus pour cinq ans au suffrage universel et au scrutin de liste remplit l'office de Parlement. L'initiative législative revient au Prince, la loi représentant l'accord de sa volonté et de celle du Conseil National.

Le pouvoir judiciaire appartient au Prince qui en délègue le plein exercice aux Cours et aux Tribunaux. Un Tribunal Suprême statue souverainement dans le domaine des recours constitutionnels, du contentieux administratif et des conflits de compétence juridique.

La Municipalité qui administre la Commune-unique est composée d'un Maire et d'adjoints choisis au sein d'un Conseil Communal de quinze membres élus pour quatre ans au suffrage universel.

L'année même où cette Constitution entra en vigueur, une crise éclata entre Monaco et la France qui demandait l'alignement fiscal sur son propre régime. De longues négociations aboutirent aux accords du 18 mai 1963. Ils instituaient un impôt direct sur les bénéfices de certaines entreprises industrielles ou commerciales, mais ils maintenaient le régime d'exonération, créé par l'ordonnance du 6 février 1869, pour l'ensemble des entreprises industrielles ou commerciales qui n'exercent leur activité que sur le territoire monégasque, ainsi que pour les personnes physiques sur leurs revenus personnels (à l'exception toutefois des personnes physiques de nationalité française qui ne pouvaient justifier de 5 ans de résidence habituelle à Monaco à la date du 13 octobre 1962, lesquelles sont assujetties en France à l'impôt sur le revenu dans les mêmes conditions que si elles y avaient leur domicile ou leur résidence).

Il faut remarquer qu'à cette date les recettes des jeux représentaient à peine 3,50% du budget de l'État.

On craignit que la perte du privilège ne portât un coup très dur au développement économique. C'était compter sans l'éternelle faculté d'adaptation qui allait permettre à la Principauté d'étonner le monde par le nombre et l'ampleur de ses réalisations.

(suite page 134)

heaval; there is evolution and not revolution".

In 1956, the Prince married an American actress universally known for both her talent and her beauty - Miss Grace Patricia Kelly. Three children were born from this marriage: Princess Caroline in 1957, Prince Albert in 1958, and Princess Stephanie in 1965. The marriage had extensive repercussions, particularly in the United States, and considerably increased the renown of the Principality.

Since 1911, the constitutional question had never been satisfactorily settled. On 28th January 1959, the Prince partially suspended the constitution and prepared another which he promulgated on 17th December 1962. It has been said that the regime thus introduced remained constitutional without becoming parliamentary.

The executive power derives from the fundamental sovereignty of the Prince, who does not share it with the people. He limits his prerogatives on a voluntary basis.

The government is exercised under the high authority of the Prince by a Minister of State appointed by him, but of French nationality. The Minister of State is assisted by three government counsellors also appointed by the Prince.

A National Council of eighteen members elected for five years by universal suffrage on the list system does duty as a Parliament. Legislation is in the hands of the Prince, and the law represents a compromise between his wishes and those of the National Council.

The judiciary is also in the hands of the Prince, who delegates the full exercise of it to the courts and tribunals.

A Supreme Tribunal is the final court of appeal in the area of constitutional matters, administrative disputes and conflicts of legal competence.

The municipality which administers the single commune consists of a Mayor and assistants selected from among the Communal Council of five members elected for four years by universal suffrage.

The very year when this Constitution came into force, a crisis broke out between Monaco and France, which asked that the tax system be brought into line with that of France. As a result of lengthy negotiations, the agreements of 18th May 1963 were concluded. These instituted direct taxes on the profits of certain industrial and commercial undertakings, but maintained the exemption created by the ordonnance of 6th February 1869, for all industrial and commercial undertakings exercising their activities only on Monegasque territory and for the personal incomes of individuals. There were, however, exceptions for persons of French nationality who could not prove that Monaco had been their usual residence for five years on 13th October 1962 and who were subject to French income tax under the same conditions as if their domicile or residence was there.

It should be noted that at this date receipts from gambling accounted for scarcely 3.5% of the State budget. It was feared that this loss of privilege would have adverse effects on economic development.

This was to discount Monaco's eternal adaptability, which was to enable the Principality to astonish the world by the number and extent of its achievements.

Since the succession of Prince Rainier, a large number of initiatives have been taken in all fields - whether urban planning or tourism, science or education, culture or sport.

So extensive has been industrial and commercial development that the revenues of Monaco have increased considerably. One thing which is surprising at first sight is that there has also been a growth in the size of its territory. This is the result of a policy of reclamation from the sea, thanks to which 31 hectares (about 75 acres) have been won, making an increase of 20%

(continued page 134)

Ici se situe la frontière presque invisible du Monte-Carlo d'hier et d'aujourd'hui, dans le domaine des affaires.

Au pied de la centenaire et à jamais célèbre construction de Charles Garnier, le Centre de Congrès Auditorium de Monte-Carlo dont la savante et sobre architecture s'harmonise merveilleusement avec le contexte, concrétise la nouvelle et irrésistible tendance du tourisme monégasque.

Here lies the almost invisible frontier between the Monte Carlo of yesterday and of today in the world of business. At the foot of Charles Garnier's century-old and ever-famous building stands the Monte Carlo Convention Center and Auditorium whose masterly and sober architecture harmonizes with its site, testifying to the new and irresistable trends in Monaco's tourism.

Le Centre de Congrès Auditorium de Monte-Carlo doté d'un équipement technique très sophistiqué, se prête, grâce à son exceptionnelle souplesse d'utilisation, à l'organisation de toute manifestation : congrès, exposition professionnelle, concert symphonique, ballet, enregistrement de disques, exposition d'œuvres d'art, spectacle cinématographique ou de variétés...

... cependant qu'à quelques pas du C.C.A.M., et totalement rénové, le Centre de Rencontres Internationales, surplombant le port de Monaco, offre, sur quatre niveaux, les aménagements, les services et les équipements que cherche tout congressiste, dans un complexe immobilier qui abrite le Théâtre Princesse Grace où, dans la chaude ambiance d'une salle exquise et confortable, peuvent se donner comédies, conférences et concerts.

The Monte Carlo Convention Centre and Auditorium, with its highly sophisticated technical equipment, is exceptionally flexible in utilization and lends itself to all kinds of events : congresses, trade shows, symphony concerts, ballet performances, recording sessions, art exhibitions, film shows, revues, etc.

Only a few steps away from this Centre the completely renovated International Convention Centre, overlooking Monaco Harbour, provides full congress facilities on four levels in a complex that also houses the Princess Grace Theatre and the warm ambience of a charming and comfortable hall where plays and concerts are performed and lectures given.

L'Auditorium Rainier III, par la grande qualité de son acoustique à possibilités variables, est, notamment, le lieu de prédilection de l'Orchestre Philharmonique de Monte-Carlo, créé en 1857 et parvenu, désormais, à la renommée internationale par la qualité et la diversité de ses prestations et d'enregistrements qui lui ont valu plusieurs Grand Prix du Disque français et étrangers.

By reason of its excellent and versatile acoustics, the Rainier III Auditorium is favoured in particular by the Monte Carlo Philharmonic Orchestra, which was formed in 1857 and today enjoys international fame. The quality and diversity of its recordings have won it several French and foreign awards.

LOEWS
MONTE
CARLO

Adjacent au C.C.A.M., le Loews Monte-Carlo : 640 chambres et suites, 5 restaurants, 3 bars, les spectacles du "Folie Russe", un casino style américain, 13 salles de réunion privées, piscine, health spa, galerie de boutiques, etc... Une nouvelle dimension dans l'hôtellerie moderne.

Adjacent to the Convention Centre, the Loews Monte-Carlo Hotel : 640 rooms and suites, 5 restaurants, 3 bars, the "Folie Russe" shows, an American-style casino, 13 private meeting rooms, swimming pool, health spa, boutiques arcade, etc... A new dimension in the modern hotel industry.

L'équipement hôtelier de la Principauté comporte à la fois les luxueux palaces qui ont fait sa renommée internationale, comme l'Hôtel de Paris, l'Hermitage, le Monte-Carlo Beach ou le Mirabeau, et des établissements plus récents, mais tout aussi accueillants, comme l'Abela...

The Principality's hotel facilities include both luxury palaces which have contributed to its international renown, such as the Hôtel de Paris, the Hermitage, the Monte Carlo Beach and the Mirabeau as well as the Abela...

...ou le dernier projet en cours sur le Port de Monaco, que l'on n'hésite pas à désigner comme le futur bijou de l'hôtellerie monégasque.

...and the latest project right on Monaco's harbor which will be a future jewel in the crown of the Principality's hotels.

DOW'S
PORT

SA LE MPIRE

GALERIE DU METROPOLE
COMPLEXE du METROPOLE
RECONSTRUCTION STYLE
BELLE EPOQUE
P

De tous les hôtels monégasques, le Beach Plaza est le seul à avoir « les pieds dans l'eau ». Certains se reconstruisent dans un style classique comme le Métropole Palace, d'autres font preuve d'une conception plus audacieuse. L'Abela Hotel s'est parfaitement intégré à l'architecture douce du nouveau quartier de Fontvieille construit sur la mer. Des espaces sont aménagés pour les commerces les plus variés : les enseignes les plus prestigieuses y côtoient les boutiques de tous genres pour le plus grand plaisir des résidents et des touristes.

Of all of Monaco's hotels, the Beach Plaza is the only one to have its "feet in the water". Some, like the Metropole Palace, follow a classical style while others choose a newer approach. The Abela Hotel is perfectly integrated in to the smooth architecture of the district of Fontvieille, built on land reclaimed from the sea. Spaces were developped for a variety of shops; world famous trademarks rub shoulders with small boutiques of all sorts for the delight of residents and visitors.

BANCO DI ROMA FRANCE

Depuis l'avènement du Prince Rainier III les initiatives ont été innombrables dans tous les domaines, qu'il s'agisse de l'urbanisme ou du tourisme, des sciences ou de l'éducation, de la culture ou des sports.

Le développement industriel et commercial s'est poursuivi de telle sorte que le chiffre d'affaires monégasque s'est accru dans des proportions considérables. Chose au premier abord surprenante, le développement territorial correspond à cette croissance. C'est le résultat d'une politique de conquête sur la mer grâce à laquelle ont été gagnés 31 hectares, soit une augmentation de 20% de la superficie totale. Trois terre-pleins ont été réalisés : celui du Portier (dans ce quartier où se trouvaient autrefois les Moulins à Huile de Monaco dont l'origine remontait au XVe siècle) ; celui du Larvotto destiné à recevoir les nouveaux établissements de la S.B.M., celui de Fontvieille dont la construction s'est accompagnée de celle de deux ports. Entre les terre-pleins du Larvotto et du Portier ont été aménagés 15.000 m^2 de plages artificielles. D'autre part le déplacement de la voie ferrée et sa mise en souterrain a permis de dégager 51.000 m^2 et de créer le Monte-Carlo Bord de Mer.

Après la fin de la guerre le tourisme a connu une mutation inévitable. Celui de l'été qui avait commencé à se développer au cours des années 1930 a définitivement dépassé celui de l'hiver tandis qu'apparaissait le tourisme d'affaires.

La société prestigieuse à laquelle Monte-Carlo doit sa renommée fréquente toujours les principaux palaces, mais cette clientèle de grand luxe n'est plus aussi vaste. Elle est désormais complétée par ce qu'on appelle le secteur tertiaire.

Des hôtels neufs ont été construits et ceux qui existaient modernisés. Dans l'ensemble le potentiel hôtelier s'est accru de 80%. Le Monte-Carlo Sporting Club a été inauguré en 1974.

Des mesures spéciales ont été prises pour accueillir des congrès : l'aménagement du Centre de Rencontres Internationales, puis la création du Centre de Congrès Auditorium de Monte-Carlo qui en est une des plus grandioses. Cet édifice offre sur trois étages et quatre niveaux dans des conditions de confort remarquables et dans un cadre exceptionnel sur la Méditerranée une salle principale de 1.100 places, un plateau de scène de 220 m^2, des salles de commission, des bureaux de secrétariat, ainsi qu'une surface d'exposition de 1.800 m^2, toutes les salles disposant des équipements techniques les plus perfectionnés. Depuis ces dernières années, le nombre de congressistes sensibles au faste et à l'efficacité d'une telle hospitalité progresse en proportion constante, faisant de Monaco un des principaux lieux de réunion des congrès, séminaires, symposiums et colloques.

La navigation de plaisance est également à l'honneur. Elle bénéficie non seulement du Port de Monaco mais également de deux ports aménagés, l'un entre le Rocher et le terre-plein de Fontvieille, l'autre en France sur la commune de Cap-d'Ail.

La ville aura été ainsi presque totalement remodelée sans perdre, selon le vœu du Prince, son caractère spécifique.

En même temps la Science recevait de puissants encouragements par la fondation de l'Association de Préhistoire et de Spéléologie ; du Centre d'Acclimatation Zoologique où une température presque constante permet la reproduction d'une faune tropicale, en particulier africaine ; du Centre Scientifique de Monaco avec ses laboratoires divers ; du Laboratoire International de Radioactivité Marine ; de la Station Radio Maritime élevée sur le toit du Musée Océanographique afin d'assurer les communications entre les navires océanographiques et les laboratoires à terre ; du Grand Prix Océanographique Albert Ier de Monaco.

Le Prince est Président de la Commission Internationale pour l'Exploration Scientifique de la Méditerranée (C.I.E.S.M.) créée en 1919 par Albert Ier. Au cours du XXIIe Congrès de cet organisme il a lancé l'Opération "Ramoge" pour étudier les moyens de remédier aux pollutions du golfe de Gênes et de la Côte d'Azur.

Le Festival International de Télévision a tenu sa première session du 14 au 28 janvier 1961. Le but que se proposait le Prince était d'encourager la qualité de cet art nouveau de telle sorte qu'il pût devenir un lien pacifique entre les peuples. Au fil des années le Festival s'est affirmé comme une manifestation de grande importance.

C'est le 15 janvier 1951 que le Prince a formé le Conseil Littéraire de la Principauté de Monaco, placé sous la présidence d'honneur de Colette et la

in total area. Three poldars have been created: that of Portier (in the district formerly containing the Monaco oil mills, originating from the fifteenth century); that of the Larvotto destined to contain the new S.B.M. installations; and that of Fontvieille, the building of which has been accompanied by that of two harbours. Between the polders of Larvotto and Portier fifteen thousand square metres of artificial beaches have been created. In addition, it has been possible to free 51, 000 square metres and create the Monte Carlo sea front as a result of moving the railway line and placing it under ground.

After the war, tourism underwent an inevitable change. The summer season which began to develop during the thirties finally superseded the winter season, and at the same time business visitors began to appear. The high society to which Monte Carlo owes its fame still frequents the chief luxury hotels, but in decreasing numbers. It is now augmented by what is known as the tertiary sector.

New hotels have been built, and existing ones modernised. Hotel space generally has been increased by 80 %. The Monte Carlo Sporting Club was inaugurated in 1974. Special measures have been taken to accommodate conventions. The Monte Carlo Convention Centre & Auditorium provides remarkably comfortable facilities on three storys and four levels with an exceptional view over the Mediterranean, a main hall capable of seating 1,100, a 220-square metre stage, committee rooms, secretarial offices and exhibition space with an area of 1, 800 square metres; all conference rooms are equipped with the latest technology. In recent years, the number of conventioneers partaking of the luxury and efficiency of the facilities available has steadily increased, making Monaco one of the leading centres for conventions, seminars, symposia, etc.

Considerable attention is also paid to yachting. Sailing enthusiasts can use not only the Port of Monaco itself; but also two other harbours with full facilities, one between the Rock and the Fontvieille polder and the other at Cap d'Ail in France.

The town will thus have been almost completely remodelled, as the Prince wanted, without losing its specific character.

At the same time, science was given considerable encouragement with the foundation of the Association of Prehistory and Speleology; the Centre d'Acclimatation Zoologique where an almost constant temperature allows the reproduction of tropical, and particularlyAfrican, fauna; the International Laboratory of Marine Radioactivity; the Maritime Radio Station built on the roof of the Oceanographic Museum to ensure communications between oceanographic ships and ground-based laboratories; and the Grand Prize Océanographique Albert I de Monaco. The Prince is President of the International Committee for the Scientific Exploration of the Mediterranean Sea set up in 1919 by Albert I. During the 22nd Congress of this organisation he launched Operation "Ramoge" to study methods of remedying pollution in the Gulf of Genoa and the Cote d 'Azur.

The International Television Festival held its first session from 14th to 28th January 1961. The Prince said it was his objective to promote the quality of this new art so as to make it a peaceful link with the people. Over the years, the festival has proved to be an event of considerable importance.

On 15th January 1951, the Prince formed the Literary Council of the Principality of Monaco with Colette as Honorary President and Prince Pierre of Monaco as Chairman. This assembly was entrusted with the task of selecting every year a writer to receive the Prince Rainier III of Monaco Literary Prize, later to become the Prince Pierre of Monaco Literary Prize. No candidature is required for this individual prize, which rewards a writer in the French language for his works as a whole. Since its inauguration, it has been awarded to some of the greatest names in contemporary literature.

In 1959, the Prince founded the Prince Rainier III of Monaco Musical Composition Prize open to composers of all ages, all countries and all trends. It is awarded for chamber music, orchestral music and music for the stage. In 1966, the Organising Committee was incorporated into the "Prince Pierre of Monaco Foundation" an independent public body which the Prince dedicated to the memory of his father, that great patron of the arts who died in 1964, mourned by both writers and artists.

The Foundation is administered by a Board of Directors assisted by specialised committees and councils, particularly the literary council and the musical council.

présidence effective du Prince Pierre de Monaco. Cette assemblée reçut la mission de proposer chaque année au souverain, un écrivain jugé digne de recevoir le Prix Littéraire Prince Rainier III de Monaco qui devint plus tard le Prix Littéraire Prince Pierre de Monaco. Ce prix indivisible ne fait l'objet d'aucune candidature et récompense un écrivain d'expression française pour l'ensemble de son œuvre. Il a depuis sa fondation couronné les plus grands noms de la littérature contemporaine.

En 1959, le Prince fonda le Prix de Composition Musicale Prince Rainier III de Monaco, ouvert aux compositeurs de tous âges, de tous pays et de toutes tendances. Il consacre des œuvres de musique de chambre, de musique orchestrale et de musique scénique. En 1966 son Comité d'Organisation fut incorporé à la "Fondation Prince Pierre de Monaco", établissement public autonome que le Prince dédia à la mémoire de son père, ce grand mécène, disparu en 1964, dont les Lettres et les Arts portent également le deuil.

La Fondation est administrée par un Conseil d'Administration assisté de Comités et de Conseils spécialisés, notamment du Conseil Littéraire et du Conseil Musical.

Depuis la mort de Diaghilev en 1923, les Ballets de Monte-Carlo sous la direction de René Blum, puis de Marcel Sablon, avaient maintenu leur réputation mondiale. Toutes les étoiles de l'époque y avaient dansé, de Nijinski à Serge Lifar, de Karsavina à Chauviré.

Monte-Carlo continue d'attirer, notamment pour les fêtes de Pâques, de Noël et de Nouvel An et l'été à l'occasion du Festival International des Arts, les grands compagnies étrangères qui s'y produisent tour à tour : le Ballet de l'Opéra de Paris, le Ballet du XXe siècle de Maurice Béjart, le Ballet Soviétique de Novosibirsk, le Royal Ballet de Londres, le New York City Ballet, le Ballet National de Marseille de Roland Petit et bien d'autres encore.

La saison d'opéras, toujours remarquable, les prestations de l'Orchestre Philharmonique de Monte-Carlo, dont les "Concerts du Palais Princier" constituent l'une des manifestations majeures, sont dans le prolongement de cette tradition glorieuse.

Rien ne devait être négligé pour faire de la Principauté un centre d'émulation exceptionnel. En 1974 naquit le Festival International du Cirque, Festival unique en son genre, destiné à donner leurs lettres de noblesse à ceux qui animent cet univers irréel de la féerie, de la joie et du rire. Un jury que préside le Prince en personne distribue des trophées aux meilleures attractions venues des principaux cirques du monde.

A côté de lui siège un jury d'enfants âgés de huit à douze ans qui choisit lui aussi ses lauréats. Autour du chapiteau où a lieu le spectacle se déroule la fête traditionnelle avec ses stands, sa ménagerie et ses mille merveilles qui fascinent les enfants.

Est-ce tout ? Non. Après le succès remporté par "Monte-Carlo Flora", une extraordinaire exposition de fleurs, un Concours International de Bouquets est maintenant régulièrement organisé.

Le 14 octobre 1968 était formé, sous la Présidence de la Princesse Grace, le "Garden Club de Monaco" afin de favoriser "le développement du sens artistique de ses membres par la connaissance des plantes et des fleurs, leur arrangement décoratif et l'art du jardinage". Chaque année le Concours International de Bouquets, que sanctionne un Grand Prix ainsi que des médailles d'or, d'argent et de Bronze, rassemble les représentants de nombreux pays. C'est une parure supplémentaire sur cette terre bénie de la nature.

Les sports déjà à l'honneur avec le Rallye Automobile et le Grand Prix Automobile de Monaco connurent une nouvelle poussée de croissance avec l'organisation des Internationaux de Tennis de Monte-Carlo qui ont lieu chaque année pendant les fêtes de Pâques et le Monte-Carlo Golf Open en été.

Reste le ciel. Le Festival International de Feux d'Artifice inauguré en 1966 lors du centenaire de Monte-Carlo y suscite chaque année de prodigieuses visions. Un concours a lieu entre les participants qui rivalisent de goût et d'invention pour assembler figures et couleurs.

Aucun domaine où le progrès ne reçoive une impulsion particulière et où le prestige de Monaco ne se soit affirmé.

Ayant épousé le siècle sans renoncer à ses traditions, Monaco offre un modèle accompli du dynamisme méditerranéen dans le halo doré de sa légende.

Philippe Erlanger

Since the death of Diaghilev in 1923, the Monte Carlo Ballets under the direction first of René Blum and then of Marcel Sablon have maintained their world reputation. All the stars of the epoch have danced there, from Nijinski to Serge Lifar, and from Karsavina to Chauviré.

Monte Carlo continues to attract great foreign companies such as the Ballet of the Paris Opera, the "Ballet du XXe siècle" of Maurice Béjart, the Soviet Ballet of Novosibirski, the Royal Ballet of London, the New York City Ballet, the "Ballet National de Marseille" of Roland Petit and many others, particularly at Easter, Christmas and New Year and on the occasion of the International Arts Festival.

The Opera season, which is always remarkable, and concerts given by the Monte Carlo Philharmonic Orchestra, of which the "Concerts du Palais Princier" constitute one of the major events, are a continuation of this glorious tradition. Nothing has been neglected to make the Principality an exceptional centre of attraction. In 1974 the International Festival of the Circus was inaugurated, a festival unique of its kind, designed to raise the standing of those who sustain this unreal world of fairyland, joy and laughter. A panel presided over by the Prince in person distributes prizes to the best attractions from the major circuses throughout the world. He is assisted by a panel of children from eight to twelve years old which also chooses prizewinners. Around the high top where this event takes place there is the traditional fair with stands, menagerie, and a thousand wonders to fascinate children.

Is that all? No. As a result of the success achieved by "Monte Carlo Flora" an extraordinary flower show, an International Bouquet Competition is now regularly held. On 14th October 1968, the "Monaco Garden Club" was formed under the Presidency of Princess Grace to promote "the development of the artistic sense of members by a knowledge of plants and flowers, their decorative arrangement and the art of gardening". Each year the representatives of many countries come to compete for the Grand Prize, gold, silver and bronze medals awarded at the International Bouquet Competition - an additional adornment to this land blessed by nature.

Sport, already represented by the Monte Carlo Rally and the Grand Prix Automobile de Monaco, was given a fresh lease on life with the organisation of the Monte Carlo International Tennis Tournament which takes place every year during Easter.

There remains the sky. The International Fireworks Festival, inaugurated in 1966 during the Monte Carlo centenary celebrations, results in fantastic displays every year. Participants rival one another for taste and inventiveness in assembling figures and colours.

There is no field in which progress is not given special encouragement and where the prestige of Monaco is not asserted.

Monaco, having entered the century without abandoning its traditions, provides an example of Mediterranean energy in the golden halo of its legend.

Philippe Erlanger

Le Rocher historique de Monaco-Ville, vers la frontière ouest de la Principauté, surplombe le port de plaisance dont les quais cernent le nouveau quartier résidentiel de Fontvieille construit sur le terre-plein de 22 hectares gagnés sur la mer.

Cette réalisation qui repose sur une infrastructure protégée par une digue de conception hardie, constitue un nouveau visage de Monaco conciliant tradition et innovation.

La satisfaction de besoins d'intérêt public est l'un des aspects essentiels de l'urbanisation de ce quartier, laquelle sauvegarde la qualité des sites environnants.

Elle peut se résumer dans l'implantation de logements sociaux, l'extension d'une zone industrielle particulièrement active, la construction de bureaux, la création d'équipements scolaires, sportifs, administratifs, la mise en place d'un centre commercial, enfin l'aménagement d'un magnifique parc paysager.

The historic Rocher of Monaco-Ville, near the Western frontier of the Principality, overlooks the up-to-date yacht harbour of Fontvieille, whose quays surround the residential quarter built on the new 22-hectare polder reclaimed from the sea.

This development, built on an infrastructure protected by a dyke of bold design, constitutes a new aspect of Monte Carlo reconciling tradition and modernity.

The satisfaction of requirements in the public interest is one of the essential features of the urban planning of this quarter so as to safeguard the quality of the surroundings.

The development includes the construction of low-cost housing, the extension of a particularly active industrial zone, the building of offices, the creation of educational, sporting and administrative facilities, a shopping centre, and a landscaped park.

RESURRECTION

Le développement de l'urbanisme va de pair avec la création d'espaces verts, particulièrement dans le quartier de Fontvieille dont quatre des vingt six hectares sont occupés par un parc plein d'attraits.

Lieu reposant où le silence des jardins règne sur la séduction d'une nature que le paysagiste a signé avec grande délicatesse. On y trouve un vaste bassin où le murmure des cascades scande les ébats de cygnes et de canards.

Une roseraie dédiée à la Princesse Grace y regroupe plus de cent quatre-vingt variétés de fleurs qui font discrètement hommage à la statue de la Princesse.

Urban planning goes hand in hand with the creation of green spaces, particularly in the Fontvieille quarter, four of whose twenty-six hectares are occupied by an attractive park.

It is a quiet, restful spot whose natural features have been landscaped with great taste. In the park's extensive lake, swans and ducks disport themselves among the waterfalls.

A rose garden dedicated to Princess Grace contains more than a hundred and eighty varieties of flowers amid which stands the statue of the Princess.

Inauguré le 11 mai 1985 par S.A.S. le Prince Souverain, le nouveau Stade Louis II est une grandiose réalisation d'intérêt public qui répond parfaitement aux objectifs visés : créer une structure capable de regrouper, dans un complexe très sophistiqué, un ensemble d'activités non seulement sportives, mais aussi administratives et commerciales...

Inaugurated on 11th May 1985 by H.S.H. Prince Rainier III, the new Louis II Stadium is a splendid public facility which admirably achieves the objectives aimed at : the creation of a structure able to serve as the setting, in a highly sophisticated complex, for administrative and commercial activities as well as sporting events...

... dans une perspective d'intégration harmonieuse à l'urbanisme du quartier de Fontvieille.

On y trouve un admirable amphithéâtre pourvu d'équipements très étudiés qui offrent toutes possibilités de rencontres, notamment de football et d'athlétisme, au plus haut niveau.

...designed so as to harmonize with the urban landscape of the Fontvieille quarter.

The complex includes an admirable amphitheatre fully equipped for high-level contests and matches of all kinds, notably football and athletics.

Tous les sports peuvent aussi y être pratiqués par les amateurs. Toutes les manifestations professionnelles y sont accueillies grâce à la polyvalence de la salle omnisports, à l'existence d'un complexe nautique et de salles d'entraînement spécifiques à toutes les disciplines individuelles et collectives.

Amateur as well as professional sporting events can be held there, thanks to the versatility of the multi-sport stadium, the incorporation of a water-sports complex, and the provision of specific training facilities for all individual and team sports.

ANCASTER

Fernet Branca

Le quartier de Fontvieille est un modèle d'urbanisation. C'est le coeur des activités industrielles et commerciales de Monaco. Les nouveaux espaces de bureaux, commerces, unités de production sont alimentés en chaleur et en froid par un réseau souterrain de distribution.

Desservis par de larges boulevards agrémentés de jardins et espaces verts, ces immeubles offrent un environnement idéal pour vivre ou travailler.

Fontvieille is a model of modern urban planning. At the heart of Monaco's industrial and commercial activity, new offices, stores and factories have arisen, linked by underground distribution of heating and air-conditioning. Set amid landscaped boulevards, gardens and parks, these new buildings provide an exceptional living and work environment.

SMEG

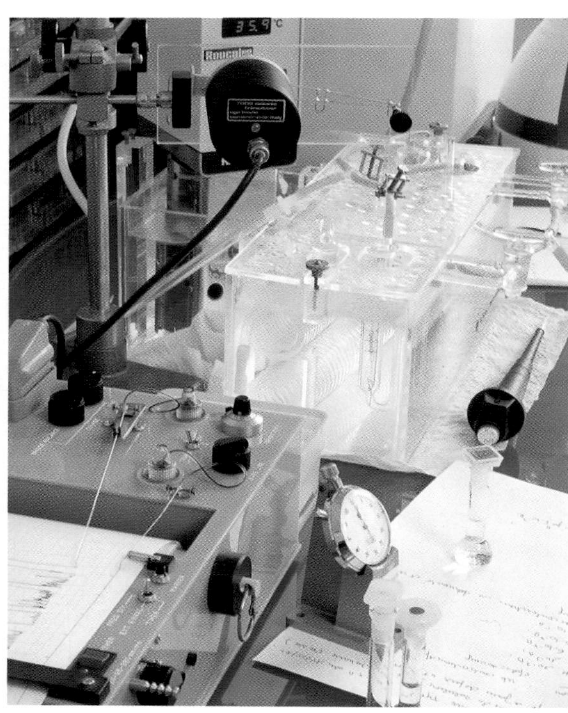

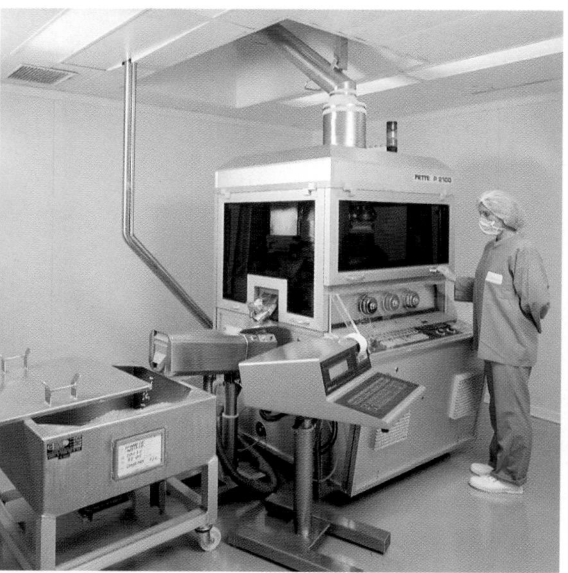

L'activité économique se développe de façon remarquable, particulièrement dans les domaines de l'engineering, de l'électronique, de la mécanique de précision, des cosmétiques, de la pharmacie et des plastiques. D'une manière générale l'expansion de ce secteur de l'économie monégasque est orientée vers un style d'entreprises rémunératrices et propres.

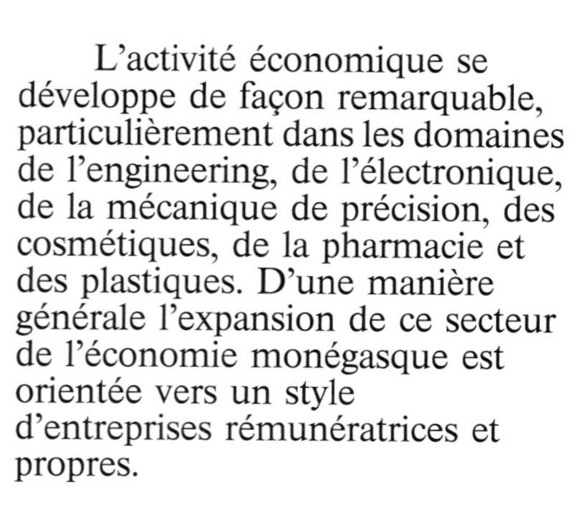

Economic activity is developing well, especially in the fields of engineering, electronics, precision instrumentation, cosmetics, pharmacology and plastics. In general, the expansion of Monaco's industrial economy is geared toward companies which are both lucrative and non-polluting.

Fontvieille...
Une conquête sur la Méditerranée qui est une affirmation de vitalité riche encore de promesses pour l'avenir.

Fontvieille...
Built on land reclaimed from the Mediterranean, asserting a vitality which holds rich promise for the future.

Texte de Philippe Erlanger

Photographies d'Italo Bazzoli

à l'exception des suivantes :
p. 9 : R. Melloul-Sygma
p. 35 en haut à droite, p. 76, p. 82 : Fotogram-Lourcel
p. 49 au centre à gauche : Bérard
p. 124 en haut : M. Lacroix
p. 149 en bas, p. 151 en bas à gauche : G. Luci

Légendes de Robert André

Traduction anglaise de Colin Norris et Mostyn Mowbray

Editions & Promotions Internationales S.A.M.
11, Bd Albert-Ier
MC 98000 Monaco
Tél. +377 93 30 00 88
Fax +377 93 15 03 13
RCI 90S02574 Monaco
Dépôt légal n° 3150 - 2e trimestre 1996

Septième édition

Printed in Italy

Imprimé en juillet 1996 par Pozzo-Gros-Monti, Torino (Italie).